よくよく考え抜いたら、世界はきらめいていた

哲学、挫折博士を救う

関野哲也

CCCメディアハウス

はじめに

◆あなたへ◆

この本を手に取ってくださったあなたは、哲学に興味のある高校生でしょうか。それとも、哲学の講義を初めて受ける大学生？　もしくは、哲学を学んでみたい社会人の方でしょうか。

- 哲学に何となく興味はあるけれど、哲学って難しそう
- 難解で高尚な学問(※註1)
- そもそも何を言っているのか、わからない

このような哲学に対する近寄りがたいイメージを解きほぐしたい。哲学をもっとあな

たの身近に感じてもらいたい。本書は、そんな思いから生まれたものです。

私が哲学に出会ったのは二十歳の頃です。以来、二十五年の月日が経ちました。

- 私自身がなぜ哲学に関心を抱いたのか

- 私はどのように哲学と接してきたのか

- 哲学をするとは、どういうことか

本書ではこれらのことを、私の体験談、時には失敗談を交えながら、私がどのように哲学の世界に入門し、その中で考え、今に至るのかをお話ししてみたいと思います。

その意味で、この四半世紀、私が哲学とともにどのように生きてきたかを記した自叙伝のようなものとして、本書を受け取っていただくことも可能です。

そして、私というひとつの窓を通して、あなたに哲学の世界をのぞいてもらえたらと考えています。

◆哲学のはじめ方は人それぞれ◆

哲学への入門の仕方は、百人いれば百通りの仕方があると私は考えています。興味や関心のある問題も人それぞれですし、**これだけが唯一の哲学への入門の仕方だというものは、ない**と思います。

それは、誰一人とっても、同じ人生、同じ生き方がないようなものです。決して人生や生き方を画一的には論じることはできず、いろいろな人生や生き方があるとしか言えないのと似ています。

また、哲学とひとくちに言っても、その領域は広大です。

思いつくままに、哲学の領域を挙げてみましょう。

- 認識論
- 存在論

- 科学哲学
- 宗教哲学
- 言語哲学
- 法哲学
- 心の哲学
- 芸術の哲学
- 倫理学
- 論理学

もっとありますが、この辺りでやめておきますね（ちなみに、第二章でお話ししますが、私の関心領域は宗教哲学と言語哲学です）。

さて、好きな哲学者の著作を読みたいという人もいるでしょう。

- プラトン
- アリストテレス

・デカルト
・スピノザ
・カント
・ヘーゲル
・ニーチェ
・ハイデガー

フランス現代思想なども人気がありますね。

・デリダ
・ドゥルーズ
・フーコー
・メルロ=ポンティ

以上、これらはほんの一例です（ちなみに、同じく第二章で紹介しますが、私の好きな哲学者はウィトゲンシュタイン［一八八九―一九五一］とシモーヌ・ヴェイユ［一九〇九―一九四三］です）。

本書では、個別の哲学者を詳しく解説することや、「哲学とは何か」を網羅的《もうらてき》に説明し尽くすことは到底できません（私にはその能力もありません……）。

百人いれば百通りの哲学への入門の仕方がある中の、ほんのひとつです。ほんのひとつですが、今まさに哲学に興味を抱くあなたにとって、本書がこれから哲学に入門する際のささやかな道標《みちしるべ》になれば幸いです。

そして、あなたには難解で高尚と感じられる哲学のハードルを自信を持って飛び越えてもらえれば、筆者として嬉しい限りです。

◆日常生活の半径数メートルからはじめてみる◆

本書では、**日常生活の半径数メートル**から哲学をはじめてみました。

たとえば、

・なぜ働かなければいけないのだろう？
・苦しいこの病気の意味とは何だろう？
・宗教を信じるとは何だろう？
・善く生き、善く死んでいくとは何だろう？

日常生活で、ふっと湧くこのような疑問が、私たちにいちばん身近で素朴な哲学の問いです（この四つの問いは、第四章から第七章にかけてそれぞれ詳しく論じます）。

ここで言う「素朴な問い」が日常生活の半径数メートルのうちで問われる哲学の問いだとすれば、「素朴な問い」に対する「高度な問い」とは、二千五百年もの西洋哲学史において、長く受け継がれてきた知識や議論を踏まえ、初めて問うことのできるような哲学の問いです。

たとえば、

・カントが『純粋理性批判』の中の超越論的感性論《ちょうえつろんてきかんせいろん》で述べる、時間の概念の形而上学《けいじじょうがく》的《てき》な解明って何だろう?

眠くなりますね。

大丈夫です。安心してください。本書では、この問いには立ち入りません。「高度な問い」とはどういった問いなのか、あなたに体験していただければ、それで十分です。

階段でたとえるなら、私たちが「哲学は難しい」と思ってしまうのは、階段のいちばん下の「素朴な問い」ではなく、今見たカントの「超越論的ほにゃらら」のような、多くの知識を必要とする階段の上の方の「高度な問い」を最初に問うてしまうからではないでしょうか。

「哲学って、難解で高尚な学問」と感じられるのは、そのためではないかと私は思うのです。そして、そこであなたが哲学を諦《あきら》めてしまうことは、何とも残念なことだとも思います。

哲学とは、「自分で考える術」を身につけること

ところで、哲学するには、**「自分で考える」**というその仕方、**その術《すべ》を身につける**必要があります。哲学書を読むことだけに気を取られ、案外、見落とされがちなのはこの点なのですね。

多くの**知識を身につけることが受動**であるなら、その知識をもとに**「自分で考えることは能動**です。語学学習と似ていますね。英語の文法や単語をインプットすることが受動なら、身につけた知識を駆使して実際に話したり、書いたりしてアウトプットすることが能動です。

哲学の問いが長い歴史においてどんな風に考えられてきたのかを知ること、そしてそこから**「自分で考える術」**を身につけ、今度は**実際に自分自身で考えてみる**ことが哲学するうえでは大切なことなのです。

フランスの高校生は最終学年になると、哲学の授業を必修として受けることになります。また、高校の終わりに受験するバカロレアと呼ばれる大学入学資格試験においても、哲学は試験科目なのです（フランスの哲学教育について、詳しくは坂本尚志『バカロレアの哲学「思考の型」で自ら考え、書く』［日本実業出版社］をご参照ください）。

なぜフランスでは哲学の授業があるのかというと、その理由のひとつが、この「自分で考える術」を身につけさせるためです。たとえば、自分にとって幸福とは何か、不幸とは何かをいちど、徹底的に高校生に考えさせる訓練をするのです。

この点、日本では、幸福とは何か、不幸とは何かと考える代わりに、幸福や不幸を漠然と感じて終わってしまうのではないでしょうか。つまり、日本人には徹底的にそれらを考えるという機会がとても少ないのです。

フランスの高校生のように、自分にとって幸福や不幸とは何かを考え、自分の言葉で説明する訓練を受けることで、とっさの感情論に流されることなく、物事を分析して論理的に考える力を養うことができるのです。

この「自分で考える術」について、日本では、哲学科のある大学の講義や演習（ゼミ）などで先生から直接教わることができます。でも、必ずしも大学へ行かなくとも構わないと私は思っています。

何より日本では、一流の哲学研究者による入門書や解説書が多く出版されており、そこから学ぶことができます。それらの本で、どんな問いが、どんな風に考えられるのかを知ることができるのです。

◆ 料理だって卵を割ることからはじまる：簡単な一歩から ◆

問いや知識が食材であるとするならば、哲学はその食材をもとに考え、料理することにあたります。その意味で、哲学の仕方、つまり「自分で考える術」を身につけることは、料理の仕方を習うことに似ています。

それなら、初めて料理をする人が、いきなり一流料理人の作った料理を真似できないのは当然ではないでしょうか。

人が**哲学は難解で高尚だと拒否反応を示してしまうのは、この一流料理を最初に味わってしまうから**かもしれません。「こんな料理、一体どうやって作ったらいいのだろう」と途方《とほう》に暮れてしまいますよね。

哲学の仕方、「自分で考える術」を身につけるにも、順序が必要です。料理だって、最初はご飯の炊き方、お味噌汁の作り方を習い、次に、カレー、肉じゃが、玉子焼き、オムライスの作り方と階段を上っていきますよね。そうしていくうちに、一段一段と一流料理人に近づいていくことができると思うのです。

どんな哲学者たちも、**最初は「素朴な問い」**を抱いたに違いありません。そして、その「素朴な問い」を大人になってもずっと大事にしてきたに違いありません。彼、彼女らはその「素朴な問い」が不思議でたまらなく、気づいたら哲学の世界に入門していることになったのではないでしょうか。

自身の「素朴な問い」を問い、考えるために、彼、彼女らは、同じような問いを問うた過去の先人たちと、その遺《のこ》された書物を通して対話を試みました。

彼、彼女らは先人たちの書物を一生懸命に読み込み、研究した結果、そのまま受け入れることに満足できず、独自の考えを展開していくことになったのです。それが、オリジナルな哲学説の誕生の瞬間です。

哲学の問いを「自分で考える術」も、料理の仕方も、一足飛びに身につくことではありません。そこで、いちばん大切なのは、まずは「素朴な問い」を抱くことです。まずは何か料理をしてみたいと思うこと、それです。

また、あなたがある哲学者の書いたものを理解したいという思いも、「素朴な問い」を抱くことと同じだと私は考えています。

- ハイデガーは『存在と時間』で何を言おうとしているのだろう?
- デリダは『グラマトロジーについて』で何を言おうとしているのだろう?
- フーコーは『知の考古学』で何を言おうとしているのだろう?

ハイデガー、デリダ、フーコーという他者をあなたは理解しようとしているのです。

他者を理解したいという思い、それも十分過ぎるほどの哲学をはじめる動機です。

◆「考えること」は誰でもしてよい◆

この「はじめに」において、最後にお伝えしたいのは、

「考えること」は誰でもしてよい

ということです。

確かに、大学の哲学研究はとても重要です。その研究の成果は、入門書や解説書として私たちもその恩恵を受けています。

しかし、学問としての哲学研究のみが哲学である、と哲学を狭く限定してしまうのは、哲学への入口を狭き門にしてしまうと思うのです。

そもそも「考えること」は誰でもできることです。この「考えること」を私たちは自ら放棄して、誰かにお任せにしてはいけないのですね。

学問としての哲学研究だけではなく、「哲学」自体、つまり**「考えること」自体は万人《ばんにん》に開かれています。**

生きるとは、死ぬとは、私とは、正しいとは、善とは、美とは、そして、人間とは。そのように「考えること」は誰でもしてよいし、することが可能なのです。

大学で哲学を学んだ人や研究者だけしか、哲学をしたり、哲学について語ったりしてはいけないということはもちろんありません。

なぜなら、たとえばプロ野球選手でなくとも、野球をしたり、野球について語ったりしているのですから。本来は、哲学も野球と同じで、誰もがプレーすることのできるものなのです。

私たちが野球談義をするように、日常的に哲学談義をすることは可能だとも私は考えています。

哲学って「考えること」自体です。

その意味で、**哲学って本当は、私たちが肌で触れられるような、もっと日常的、庶民的なものなのですから。**

◆　本書の構成について　◆

・第一章　哲学することで強くなる

第一章ではまず、「哲学って何？」という問いからはじめます。この問いに答えるために、私たちは哲学に何を期待しているのか、哲学は私たちにどんな〈メリット〉をもたらしてくれるのか、を順に考察していきます。そして、本章のタイトル「哲学することで強くなる」とはどういう理由なのかを明らかにします。

・第二章　哲学をはじめる：私の哲学遍歴

第二章では、自己紹介をかねて、二十五年間の私と哲学のかかわりについてお話しします。私がなぜ哲学に入門し、その中で考え、今に至るのかを時系列で述べています。振り返れば、私が考えることを続けてこられたのは、哲学が与えてくれた「驚き、感動、知る喜び」があったからです。そして、躁《そう》うつ（双極性障害）を発症して苦しかったときも（※註2）、私のそばにはいつも哲学がありました。

・第三章　哲学を体験してみよう：「私」とは何か？

第三章では、実際に、哲学者のテクスト（哲学書）を一緒に読んでみたいと思います。少し難度は上がりますが、難しいことは気にせず、とにかく哲学議論に体当たりし、思考のうねりや深まりを感じてみてください。また、本章は「哲学体験の場」に過ぎません。この章が理解できなくとも、第四章以降に進んでいただいて差しつかえありません。

・第四章　働くということ

・第五章　病むということ

・第六章　宗教を信じるということ

第四章から第六章にかけては、あなたが日常生活の半径数メートルから哲学をはじめるために、その練習問題として、働くこと、病気になること、宗教を信じることをテーマに一緒に考えてみます。これらのテーマは、私がこの人生でずっと考えてきたものです。ぜひ考える楽しさを知っていただくと同時に、人生における困難を「自分で考える術」で乗り越える参考にしてください。

・第七章　善く生き、善く死んでいくということ

第七章は、本書の締《し》めくくりとなります。私たちの誰もが生まれ、生き、そしてやがては死んでいきます。そのような人生において、善く生き、善く死んでいくとはどういうことかを考えます。生きることは誰にでもあてはまります。ですから、このテーマは私たちにもっとも身近な哲学の問いです。また、本章を通して、「生きること」と「考えること」はつながり合っているのだということを知っていただければと思います。

なお本書では、これからあなたが哲学に入門するための道標として、**23の【視点】**を用意しました。階段を上るように、一つひとつの【視点】を順番に身につけてもらえるように構成しています。

それと、一点だけ、私からあなたへお願いがあります。**本書をゆっくりと考えながら、わからない部分は行きつ戻りつしながらお読みください。**本書を読むコツは、「決して急がないこと」です。

各章は独立していますから、どの章からお読みいただいても結構です。
また、私の推奨《すいしょう》する読み方は、第一章、第二章を踏まえたうえで、他の章へ進むというものです。これがいちばんスムーズに本書の内容をご理解いただける道すじです。

では、一緒に哲学の世界をのぞいてみましょう!

※註1：高尚とは、「学問・技芸・言行などの程度が高く上品なこと」（『デジタル大辞泉』）

※註2：本文中に出てくる躁うつ（双極性障害）とは、躁（気分の高まり）と抑《よく》うつ（気分の落ち込み）が繰り返し現れる精神障害のことです。躁よりも抑うつの方が私にとっては頻度が多く、苦しく感じられるため、また本文では読みやすさを考慮したうえで、単に「うつ」と表記しています。しかし、実際には、「うつ」と「躁うつ」とは別の症状であり、投与する薬の種類も違います。したがって、読者の皆さまには、「うつ」と「躁うつ」は別であるとご承知いただきたいと思います。

目次

哲学に入門するための23の道標《みちしるべ》

第一章

哲学することで強くなる

視点1
・
「悩み」と「哲学の問い」は違うと知る

哲学ってどんなイメージ？

私が最初に哲学というものの存在を知ったのは、小学校低学年くらいだったと記憶しています。

私の名前の「哲也《てつや》」がどういう意味なのか、そして、なぜ両親が私に「哲也」と名づけたのかを母にたずねた時のことです。

母の説明によると、「哲也という名前は、哲学の「哲」の字から取ったんだよ」というものでした。

「じゃあ、哲学って何？」

と、私は続けて母に問いました。

母の説明によると、

「哲学って、えらい学問だよ」

というものでした。

母は母で精一杯の説明だったのだと思います。それでも、私は私で単純でしたので、「へぇー、哲学って、えらい学問なんだ、すごーい」と納得してしまいました。

二十歳になる頃まで私はのんびりとした子供でしたから、「哲学とはえらい学問なんだ」と、それ以上深掘りすることなく生きることになります。

しかしそれにしても、哲学って一体何なのでしょうか？　私の母の説明のように、「よくわからないけど、立派な学問」というイメージを持っている人が案外多いのではないでしょうか。

そこで本章では、早速、「哲学って何？」ということをお話ししていきます。

◆ 哲学に期待するもの ◆

まず、あなたは哲学に何を期待していますか？

- 哲学を学べば、日常生活で抱く様々な「悩み」を自分で考え、解決できるようになるのではないか。

そんな期待が挙げられますね。

ところで、この「悩み」とは、具体的にどういった内容なのでしょうか。
「悩み」と言っても人によって千差万別《せんさばんべつ》、様々です。ここでは、人間関係、仕事、恋愛、健康の「悩み」を挙げましょう。

- 学校や職場の人間関係がうまくいかず、悩んでいる。
- 自分がしたいわけでもない仕事をしなければならず、もっと自分に合った仕事をしたいので、転職すべきか悩んでいる。
- 私は結婚できるのかどうかと悩んでいる。
- 病気になったらどうしようかと悩んでいる。

ところが、プラトン、アリストテレス、デカルト、カント、ヘーゲルなどの哲学者たちの主要著作を読んでみても、彼らはこれらの「悩み」を問題にしておらず、したがって答えてくれてはいないのです。

むしろ、これらの「悩み」に対して、考え方や心の向きを変えるようアドバイスをしてくれるのは、自己啓発書ではないでしょうか。

◆哲学と自己啓発の違いとは◆

似ているのでよく混同されがちなのですが、自己啓発書と哲学書の違いを見てみましょう（図1参照）。はっきりと線引きをすることはできませんが、哲学書とはこんな感じのものということを知ってもらうために、大まかに以下に説明してみます。

自己啓発書は答えを提示してくれます。

図1：自己啓発書と哲学書の違いとは

	扱う対象	具体的には	すること
自己啓発書	目の前の悩み ＝ 自分の心の持ちかた	日常生活の表面にある ・人間関係 ・仕事 ・健康	答えの提示 ＝ 悩みを抱く人に対して「こう考えてみてはどうですか？」という答えの提示
哲学書	一段、深い問い ＝ 人間や世界の構造	日常生活の陰に隠れている ・善とは ・美とは ・生きるとは	根本を問い続ける ＝ 〈哲学者〉と問いを共有しつつ、〈哲学者〉とともに考える。〈哲学者〉の答えを吟味・検討し、新たな問いを立てる。

思考のギアチェンジ
・当たり前を疑う
・物事の本質／根本を問う
・可能性の条件を問う

ところが、哲学書は答えではなく問いを立てます。

言いかえるなら、哲学書は納得のいくまで問い続けるのです。

たとえば、人生に行きづまった人がいるとします。その人は悩みの中にいるのですね。自己啓発書は、悩みの中にいるその人の考え方や心の向きを変えるようアドバイスすることによって、マイナス思考をプラス思考に変換し、行きづまりから救い出してくれる力を持っています。つまり、「こう考えてみてはどうですか」という答えの提示です。

私の好きな自己啓発書に、アール・ナイチンゲール『チャンスは無限にある』（きこ書房）があります。その中の一節に、次のように書かれています。

いつも心に将来の自分の理想像を抱いていなさい。努力すれば、日に日にその理想像に近づいていけることは確かだ。こういう努力を続けているなら、退屈などしている暇はないはずであり、自分の実力をまるで発揮できない単純作業をさせられているときも、劣等感に悩むこともなくなる。（『前傾書』）

もっと自分に合った仕事をしたいと悩む人に対して、アール・ナイチンゲールは、心に自分の理想像を抱き、その理想像に向かって、日々努力を重ねることの大切さを説きます。

その努力をしている限り、悩んでいる暇など無く、自分を磨くことに集中するのみ。そして、自分磨きに集中していれば悩みなど感じないものなのだ、と。

このように、自己啓発書は、私たちが日常生活で抱く様々な「悩み」を問題にし、解決すべく、答えを提示してくれます。

他方で、哲学書は、問いを立て一時的な答えを導きますが、自己啓発書と異なるのは、答えの提示で終わるのではなく、**その答えからさらに新たな問いを立てる**のです。

この「答えから新たな問いを立てる」ということの説明に入る前に、もう少し言い添えておきます。

哲学書と自己啓発書が非常に似ている場合もあります。たとえば、人間というものを見つめたセネカ『生の短さについて』（岩波文庫）やマルクス・アウレーリウス『自省録』（岩波文庫）、モンテーニュ『エセー』（中公クラシックス）、パスカル『パンセ』（中公文庫）など。

また、人間が**実**際に（現**実**に）、**存**在し生きるという意味の**実存**《じつぞん》の視点から出発して、様々な問題を考えようとする実存主義《じつぞんしゅぎ》と呼ばれる哲学者たち、たとえば、サルトル、ヤスパース、レヴィナスなどにとって、「人間が生きるとは何か」ということが大きなテーマであることは間違いありません。

右に挙げた人間というものを見つめた哲学書は、人間が生きるうえでぶつかる問題に直接向き合ったものです。しかし、哲学書と呼ばれるもの全体から比べて、（私の知る限り）あまり多くはありません。

それ以外の大部分の哲学書には、その人の人生における「悩み」を直接解決してくれるような答えは書かれていないのです。

◆ 神秘：「わからないこと」で満ちている世界 ◆

では、哲学書には何が書かれているのでしょうか。**哲学書には、私や世界が存在することの神秘が書かれています。**その神秘により、哲学書は**私たちの人生観、世界観を一変させる**のです。

ここで私の言う神秘とは、「わからないこと」という意味です。

ここで、「ちょっと待って」という声が聞こえてきそうですね。

そもそも哲学とは、知を愛するという意味であり、知の営みを通して、知るということに重きが置かれているのではないのか？　知ることに重きが置かれているのに、神秘という「わからないこと」が人生観や世界観を一変させるとはどういうことか？

この質問にお答えしつつ、先ほどの「答えから新たな問いを立てる」ということを説明してみます。

たとえば、カント（一七二四―一八〇四）の『純粋理性批判』（岩波文庫）などは、人間はここまで考えることができるのだという知の営みの奥深さを実感させてくれます。

カントは、人間が何かを知るとはどのようにして可能かと問いを立て、とことん考え抜きました。それでも、カントの考えたことに対して、現在でも多くの新たな問いが研究者によって立てられています。つまり、カントの「考えたこと＝最終的な答え」で終わりというわけではなく、そのカントの**答えから新たな問いが生まれている**のです。

哲学では、このようにカントの答えから新たな問いを立てることを「カントを批判する」と言います。**批判するという言葉は、人の悪口を言ったり、人を非難するという意**

味ではありません。カントの考えたことを吟味《ぎんみ》し、検討するという建設的な意味です。

したがって、私たちがカントを読むなかで、次の違いが生まれます。

「わからないこと」を知らない

↓

「わからないこと」を知っている

このふたつには大きな違いがあるのです。

たとえば、学校の授業を例に取りましょう。先生が「わかりましたか?」と聞いてくれたとき、「うーん、わからない所がわからない」という自分の位置がもやっとしてわからない状態と、「先生、ここがわかりません」と言える自分の位置がはっきりとわかっている状態とでは、大きな違いがあるでしょう。

哲学も同じなのです。

自分は何がわかっていて、
何がわかっていないのかを知ること。
それを知ることに重きを置くのが哲学である

と言えます。そして、

このわかっていないことをさらに考え、
考えたことを言葉で表現しようとする試みが哲学

なのです。

このように、哲学は、人間や世界について、私たちにはまだ「わかっていないこと」が多くあると教えてくれます。そして、その「わかっていないこと」を知るために、私たちは新たな問いを立てるのです。

人間や世界は、「わからないこと」、つまり神秘で満ちており、その神秘はきらきらときらめいている。哲学を通して、「世界は美しい」と私たちが思えるのは、その神秘のきらめきゆえだと私は思うのです。

私自身、かれこれ二十五年、哲学に接し続けてこられたのは、哲学書を読んで感動し、**「人間存在は奥深い」、そして「世界は美しい」**と思えたからです。それは、私にとって、人生観や世界観を揺さぶられる体験でした。

◆日常にある「悩み」、日常に隠れた「哲学の問い」◆

本書の執筆をはじめた当初、日常生活で抱く「悩み」から哲学をスタートできないか、と私は考えていました。つまり、哲学を学ぶことによって、日常生活の「悩み」を自分で考え、解決できるようになるような本。

ところが、二ヶ月間、私は必死に考えたのですが、うまく書けなかったのです。うまく書けなかったのは、日常生活の「悩み」と哲学をうまく結びつけられない私の力不足もありました。

ですが、それ以上に、哲学の性格がこの「悩み」というものと相性が悪いのではないか、と私は気づいたのです。ここには、哲学の性格の見過ごせない特徴があるように思えます。

その特徴とは、**「哲学の問い」は、日常生活の陰《かげ》に隠れており、普段は意識されないと**いうことです。「悩み」は日常生活において表に出てくるのですが、「哲学の問い」は日常生活では隠れているのです。

具体的に、哲学者が立てた問いを挙げてみましょう。たとえば、プラトン（紀元前四二七―紀元前三四七）は「善とは何か」と問いました。

普段、私たちは、行為の良い悪いをどのように判断しているでしょうか。簡単な答えは、法律で決められている通りに判断する、というものですね。

では、法律で決められていないことは、どのように判断しているでしょうか。それは道徳と言われますね。では、道徳における良い悪いはどのように判断しているでしょうか。

このように、良い悪いの根本を問うていくと、やがて「善とは何か」という究極《きゅうきょく》と言ってもよい問いに突き当たります。

さて、日常生活で私たちが何らかの行為をする際、私たちは、一回一回、究極の問いである「善とは何か」と自問自答しているでしょうか。いちいち自問自答していたら、何もできなくなりそうですね。

◆ 哲学の三つの性格 ◆

ですから、哲学の性格を次のようにまとめることができそうです。

- 当たり前を疑う
- 物事の本質／根本を問う
- 可能性の条件を問う

まず、ひとつ目の**「当たり前を疑う」**です。

これは先ほどのプラトンの例でも述べたように、普段、日常生活では当たり前のように、私たちは良い悪いを判断して行動しているのですが、その当たり前をいちど疑います。

次に、ふたつ目の**「物事の本質／根本を問う」**です。

日常生活において当たり前に行っている良い悪いの判断に対して、ちょっと待てよと疑ったうえで、そもそも「善とは何だろう？」という善の「本質を問う」のが哲学です。「本質」とは、いつ、どこでも変わらない善の性質という意味です。

最後に、三つ目の**「可能性の条件を問う」**です。

これは別の例を挙げましょう。先ほども触れましたが、カントは、人間が客観的に何かを知るときの「認識の可能性の条件」を問いました。客観的というのは、皆が目の前のコップを一様に同一のコップとして、つまり誰にとっても同じものとして認識できるということです。

「認識の可能性の条件」とは、認識を成立させているものという意味で、それをカントは時間と空間であると考えたのです。皆が同一の時間と空間という条件を有しているからこそ、その条件のなかで見られるコップは、同一のコップとして認識されるのだ、と。

この「認識の可能性の条件」も、普段、日常生活で私たちは意識しているでしょうか。私たちが何かを知るということは当たり前のことであり、何かを知ることができるための条件を日常生活で改めて問うことはないでしょう。

たとえば、デートで喫茶店に入り、この目の前のコップを私が認識できるのはなぜか？　私の見ているコップと彼女の見ているコップは、はたして同一のコップであるのか？　などと問うていたら、一向にデートになりませんね。

したがって、以上のように、哲学の問いは、日常生活の陰に隠れており、普段は私たちに意識されないのです。

◆ 哲学することで、結果として「悩み」が消えている ◆

このように、哲学は直接的に私たちの「悩み」に答えてくれません。しかし、私たちが哲学の問いを考えることで、**結果的に、私たちの「悩み」が消えてしまう**ことがあります。

たとえば、人生において大変つらいことがあり、「もう駄目だ……」とまで思っている人がいるとします。自己啓発は、こんなとき、その人のマイナス思考をプラス思考に転換することで、直接的にその人を助けてくれるでしょう。

では、哲学は、どんな仕方で私たちを助けてくれるのでしょうか。

これは私の体験ですが、私も人生を送る中で何度も心を倒しそうになったことがあります。二〇一〇年（三十三歳）に私は躁うつを発症し、頭を締《し》めつけられるような感覚と体のだるさにより、つらく苦しく、「いっそのこと、もう死にたい……」と思ったこともありました。

でも、そんなとき、哲学が私を救ってくれたのです。

・この哲学書をもう少しだけ読んでみよう
・この哲学の問いをもう少し考えてみよう

そう思って哲学書を読みはじめると、人間や世界というものは謎だらけなのだということに気づかされるのです。いちど不思議だと感じると、もっと知りたくなるのですね。

そこで、

・この人間というものをもう少し知ってみるか
・この世界の美しさをもう少し味わってみるか

と感じる中で、私の中で知らないうちに、「もう少し生きてみるか」という気持ちになり、「もう死にたい……」という思いも消えているということがありました。

哲学が私を支えてくれたのです。ですから、本章のタイトル「哲学することで強くなる」のひとつ目の理由はこれなのです（これから、本書全体をとおして、「哲学することで強くなる」のその他の理由についても触れていきます）。

視点2・哲学で思考のギアをチェンジする

◆「悩むな、考えよ」◆

さらに、私たちの考えを深めていきましょう。

この哲学の間接的な効能とも言うべきものを指摘しているのは、池田晶子（一九六〇―二〇〇七）です。彼女は次のように述べています。

> 人はなぜ悩むのか。／決まっている。考えていないからである。確かに、人はじつに様々なことをじつによく悩んでいるけれども、あれは、きちんとものごとを考えていないからに他ならないからであって、きちんとものごとを考えることができるなら、人が悩むということなど、じつはあり得ないのである。（『死とは何か』傍点、引用者）

一般的に、人は**「悩む」こと**と**「考える」こと**を混同してしまいがちですが、池田晶子はここで、**「悩む」と「考える」とをはっきりと区別**しています。

「悩む」とは、先ほど挙げたように、人間関係、仕事、恋愛、健康などの「悩み」のことです。そして、「考える」とは、「哲学の問い」を考えることです。

「哲学の問い」を考えることで、「悩み」など悩むに価《あたい》しないと思えるようになると言うのです。

池田晶子は、次のようにも言っています。

> 我々がこの地球に存在したことの意味と目的というのは、考えることによって、その不思議さを自覚することによって、自由になるということにあると思います。我々は考えないことによって、要らないことにいっぱいこだわって、不自由になっているわけですから、考えることによって、それらから一つ一つ自由になってゆく。また本来すべての我々が自由であったということに、考えることによって人は必ず気がつくはずなんです。（『あたりまえなことばかり』傍点、引用者）

大切なところは、私たちがこの地球に存在することの意味と目的とは何かと考えることによって、その「不思議さを自覚する」という点です。

ここで池田晶子の言う「不思議さ」とは、私の言う「わからないこと」、つまり神秘のことです。

- 世界はなぜ存在するのか？
- 私はなぜ生まれてきたのか？

たとえばこれらの問いは、考えれば考えるほど、簡単に答えられないことを私たちは知ります。

そして、この**簡単に答えられないこと**こそ、私たちが哲学の問いの奥深さや深遠さを自覚するうえで必要不可欠な要素なのです。

◆「悩み」よりひとつ深い層にある「哲学の問い」◆

ここで、「哲学の問い」の実例を挙げてみます。

「はじめに」でも触れたように、フランスの高校生は、最終学年で哲学の授業を必修で受けることになります。また、最終学年の終わりに受験するバカロレア（大学入学資格試験）にも哲学が試験科目としてあります。フランスの高校生は、それまで学んできたことを総動員して、与えられた哲学の問いに答えるのです。

この試験で出題されている哲学の問いをいくつか見てみましょう。

- 義務を認めることは、自由を放棄することであるか？
- 文化の多様性は、人類がひとつになることの妨《さまた》げになるか？
- 芸術作品を説明することは、何の役に立つのか？

高校生が答えるとは、とても思えない問題ばかりですね。

さて、先ほどの人間関係、仕事、恋愛、健康などの「悩み」と比べて、右に挙げた哲学の試験の問いにどんな印象を持ちましたか。

「悩み」が私たちの心の持ち方を問うのに対して、
「哲学の問い」は人間や世界はどうなっているのか、
その構造を問うもの

と言えないでしょうか。

「悩み」が**個人的**なものであるのに対して、「哲学の問い」は、誰にとっても問いとして考えることのできる**普遍的**なものとも言えそうです。

この「哲学の問い」を考えることで、日常生活で抱く「悩み」から一段深い層へ、つまり**個人的な視点から普遍的な視点へ**と、私たちの**思考をギアチェンジ**することができるのです。

したがって、【視点1】の冒頭で述べたことには、次のように答えることができます。

・哲学を学べば、日常生活で抱く様々な「悩み」ではなく、「人間や世界についての問い」を自分で考えることができるようになるのです。

◆悩んでいる「私」とは何か？◆

「悩み」から「哲学の問い」への思考のギアチェンジを、実際に体験してみましょう。

たとえば、「悩み」に共通するのは、思い悩んでいる「私」ですね。どの「悩み」にも、この「私」が「どのようにすればいいか」と思いわずらっています。

そうではなく、「哲学の問い」を考えるとは、そもそも悩んでいるその「私」とは何か、と考えてみることです。

・人間関係に悩んでいる「私」とは何か？
・転職すべきか悩んでいる「私」とは何か？

・結婚できるかと悩んでいる「私」とは何か？
・病気を怖れる「私」とは何か？

このように問い直すことで、これまで当たり前過ぎて意識されずにいた「私」というものに気づきます。

「悩み」が表面に出ている問題であり、「私」の問題はその表面から一段思考が深まるのです。それまで気づかずにいた**「私」に、改めて焦点が合わされる**とでも言えるでしょうか。**この気づきこそが、思考のギアチェンジ**なのです。

「悩み」から「私」への問題のすり替えではないかと言われる人もいるかもしれませんね。しかし、そうではありません。ここが非常に重要な思考のギアチェンジの場面ですので、次のことをゆっくりと考えてみてください。

「私」とは何かという問いの**答えの出なさ**に、私たちは**驚き**、言葉を失いはしないでしょうか。言葉を失いつつも、この問いの奥深さに一種の**感動**を覚えはしないでしょうか。**この驚きと感動が、思考のギアチェンジを可能にします**（「私」とは何かについては、第三章で詳しく論じます。ぜひ、この驚きと感動を体験してみてください）。

私にとっては、その問いの奥深さはまるで、満天の星を仰《あお》ぎ見たときのような感動でした。そして、満天の星から視線を足元に戻すと、先ほどまで悩んでいた人間関係、仕事、恋愛、健康などの悩みが小さなものであったことに私は気づいたのです。

視点3・哲学の問いは「語り尽くせない」と知る

◆「語りえぬもの」と「語り尽くせぬもの」◆

最後にもうひとつ、哲学の問いの大事な性格を挙げておきましょう。

ウィトゲンシュタインは、その著書『論理哲学論考《ろんりてつがくろんこう》』（岩波文庫）において、「語りえぬものについては、沈黙せねばならない」と言いました。

ウィトゲンシュタインは、哲学の問いは「語りえない」と考え、それを「語ることの不可能性」として表現したのです。それゆえに、「語りえぬもの＝存在しないもの」と安易に誤った解釈がなされることもありました。

たとえば、「神とは何か」という哲学の問いは、ウィトゲンシュタインによれば、「語りえない」問いとなります。しかし、ここが大事な点なのですが、彼は、「神は語りえない、だから神は存在しない」と考えていたのではありません。

彼にとって、神は存在していたのです。しかし、神とは何かと語ることは不可能であり、ゆえに語ることをやめようと彼は提案したのです。したがって、彼にとっては、「語りえぬもの＝存在しないもの」ではないのです。彼にとって、「語りえぬもの」は確かに存在します。

さて、**哲学の問いの性格は、なかなか答えの出ないことであり、そもそも最終的な答えがあるのかもわからないということ**です（答えがあるかわからないから、考えなくてよいという意味ではないのですね。その答えがなかなか出ないことが、逆に、私たちを考えることへと誘《いざな》うのです）。

たとえば、

- 神とは何か？
- 私とは何か？
- 生きるとは何か？
- 死ぬとは何か？

などの哲学の問いがあります。

これらの問いは、考えても考えても、答えを得たと思った瞬間に、私たちの手からすり抜けていきます。**語っても語っても、語り尽くせない**のです。私たちにできることは、語り続けることによって、その問いの輪郭をなぞり、問いの意味をさらに浮き彫りにすることなのです。

したがって、哲学の問いの本来の性格は、ウィトゲンシュタインが述べたような「語りえない」という不可能性にではなく、「語り尽くせない」という汲《く》めども尽きない無尽《むじん》蔵性《ぞうせい》にあるのです。

世界は神秘で満ちています。
神秘とは「語り尽くせぬもの」です。

「語り尽くせぬもの」とはなかなか答えの出ない問い、すなわち哲学の問いです。したがって、世界は哲学の問いで満ちているのです。

実は、**「哲学がわかる」とは、「この世界は神秘で満ちている」ということをわかることでもある**のです。

言いかえれば、世界は神秘で満ちており、その神秘を謎として**「わからないとわかる」ことが、すなわち「哲学がわかる」こと**でもあります。

◆　哲学する〈メリット〉とは何か？　◆

では本章の最後に、これまでの議論を踏まえて、哲学をする〈メリット〉とは何かを考えてみましょう。

哲学をすると、
「実用的」な「メリット」はありませんが、
「実存的」な〈メリット〉はあります。

哲学の問いの多くが、後者に答えるものなのです。芸術作品に感動するように、哲学書が人生観を大きく揺さぶるということがあるからです。

ここで言われる「実存的」とは、人間が実際に存在し生きること、生や死、自身の存在、世界の存在などにかかわること、ほどの意味です。

「実用的」な「メリット」とは、すぐに役に立つという意味です。たとえば、包丁は食材を切るうえで役に立ちます。しかし、絵画で食材を切ることはできません。けれども、絵画は人を感動させるという意味で役に立ちます。つまり、包丁が「実用的」に役に立つとすれば、絵画は「実存的」に役に立つのです。

この絵画の例ように、「実存的」な〈メリット〉はすぐに役に立ちません。それが役に立つのは数年後、または数十年後であるかもしれません。しかし、**いつか人が「実存的」な問いに向き合った際、哲学を学んでいたことが期せずして役に立つ**のです。

その〈メリット〉は、たとえば、人が死に直面して改めて生を見つめ直したり、世界があることに驚いたりという実存を体験した際にふと思い出されるものなのです。

そのときに問われる、

- なぜ私は生きるのか
- なぜ世界は存在するのか

という哲学の問いは、何かの役に立つ「実用的」な問いなのではなく、「実存的」な問いなのです。

◆「不思議」が、神秘としてきらめく◆

哲学をする〈メリット〉は、芸術作品の〈メリット〉を考える場合と似ています。私たちが芸術作品を鑑賞してハッと何かに気づき、感動するように、哲学書にもそれを読む者に気づきと感動を与えるのです。ハッとする。そうした経験そのものが、じゅうぶん哲学の〈メリット〉であると私は考えています。

そもそも、**考えるということに、必ずしも「実用的」な「メリット」を要求しなくてもよい**のではないでしょうか。

なぜか不思議でつい考えてしまうことに、必ず「実用的」という意味での「メリット」があるとは限らないと思うのです。

もちろん、哲学をするうえでの「副産物」はあります。

ですが、この「副産物」（論理的に考えることができるようになる、クリティカル・シンキングができるようになる、など）を、哲学をする直接的な「メリット」と見なしてしまうのは、芸術作品に直接的な「メリット」を期待してしまうことに等しいように思えるのです。

哲学をする〈メリット〉はもちろんあります。それが無ければ、私は哲学をしてこなかったはずです。この〈メリット〉を私の言葉で言うならば、それは**「驚き、感動、知る喜び」**なのです。

この「驚き、感動、知る喜び」は、直接的に何かの役に立つという意味の実用性に欠けますよね。

哲学は「実用的」には役に立たないと私は考えています。

しかし、「実存的」には役に立ちます。

世界には、「実用的」な側面と、「実存的」な側面のふたつがあります。

人は、多くの場合、すぐに役に立つという「実用的」な側面ばかりを見つめて、「実存的」な側面を忘れがちなのではないでしょうか。

生や死、私の存在、世界の存在を考えていくと、私や世界があることの不思議に思い至らずをえず、その不思議は神秘としてきらめきはじめるのです。

第二章

哲学をはじめる‥私の哲学遍歴

視点4
・
人生の切実な問題は、考えるきっかけになる

哲学徒になる前：のんびりとした十代

本章では、実際に私はどのように哲学に入門したのかという経緯と、この二十五年間に私が出会ってきた人と本についてお話しします。そして、躁うつの発症、研究職には就けなかったという挫折を経て、再び哲学に向き合うまでを語ってみたいと思います。

さて、私にはひと回り歳上のいとこのお兄ちゃんがいます。そのいとこが、大学卒業後、アメリカの大学院へ留学していました。

私はそのいとこに憧れ、同じ日本の宗教系の高校と大学へ進みたい、そして英語を学ぼう、ゆくゆくはアメリカの大学院へ行こうと、何の経済的なあてもなく、勝手に決めていたのです。

私の進路決定は簡単なものでした。いとこに憧れるという理由のみです。

そうして、いとこと同じ高校へ進み、高校卒業間近になりました。これまでと同様、いとこの背中を追い、私は大学の入学試験を受けるのですが、第一志望の英文科に落ちてしまいます。代わりに受かったのは、第二志望の仏文科（フランス語）でした。正直、がっかりしました。

しかし、違いは英語とフランス語というだけで、外国語に変わりはない。アメリカ留学が無理なら、フランス留学を目指そう。

こんな風に案外、簡単に私は方向転換してしまいます。前向きな性格ということではなく、単に考えが浅かったため、方向転換も楽だったようです。

それにしても、**人生とは本当にわからないもの**ですね。第二志望の仏文科に合格し、その後、私の人生はフランスとフランス語に大きくかかわっていくことになるのですから。

◆ 世界とは、不確定で大変だ ◆

私が大学二年生（二十歳）になった頃。

ずいぶんと遅いのですが、その頃、ようやく世界というものが私の視界に入ってきたようです。大学の授業で、フランスや世界情勢について学びます。新聞や「ニューズウィーク」、「ＡＥＲＡ」をわからないながらに読みはじめたのもこの頃です。

この時期、アメリカ留学中のいとこから手紙をもらいました。それは、私の勉強の指針になり、今も大切にしている手紙のひとつです。

そこには次のような、いとこの言葉が書かれていました。

「本を読むこと。語学を勉強しても、話す内容が無ければ、相手にされないからね」

当時の私の本棚は三段のカラーボックスがひとつだけ。大学生にもかかわらず、本は十冊も並んでいませんでした。

すでに書いたように、私は二十歳になる頃まで、のんびりとした子供でした。世界で起こる事柄を問題視したりすることはなく、いや、その前に、世界で問題が起こっているなど知りもしませんでした。

それまでの私は、世界という列車は確かなレールに乗って進んでおり、着実に皆が幸せという駅に向かっていると思い込んでいました。

ところが実際には、**世界は常に不安定、不確定であり、大変なことになっている**と気づいたのは、ようやくこの頃です。

◆きっかけは宗教への問い：哲学遍歴のはじまり◆

私は高校、大学と、憧れのいとこを追って宗教系の学校へ進学したので、宗教というものが身近な存在としてありました。

私はその身近な宗教の教えに共感を抱いていました。しかし、（周囲からすれば、私がその宗教を信仰していたように見えたかもしれませんが）私は心の底から信仰するとまでは至らなかったのです。

なぜならば、ひとつの宗教を選び取るとはどういうことなのか？　それは他の宗教を否定することにつながらないか？　という問いに、私自身、答えることができなかったからです。

ひとたび世界に目をやると、私に身近だった宗教だけでなく、その他にも非常に多くの宗教が存在し、またそれぞれの宗教が、それぞれの教えを説いているようなのです。少し勉強してみると、互いに似たような教えもあるけれど、どう考えても相反《あいはん》し、相容《あいい》れないような教えもあるようです。

たとえば、（当時の相当に浅い知識と解釈ですが）キリスト教によれば、人間は死んだら天国か地獄へ行くことになる。ところが、仏教によれば、人間は死んだら輪廻転生《りんねてんしょう》を繰り返し、再びこの世に生まれ変わってくると教えられている。

人間は死んだら、
天国へ行くのか、生まれ変わるのか、
一体どっちなんだろう？

この問題を考えれば考えるほど、どちらが正しいのか私にはわからなくなったのです。何をどう考え、どう信じていいのか。

そして、次のような問題が私にとって何よりも切実なものとなりました。

- なぜ世界にはこれほど多くの宗教が存在し、それぞれの真理を主張している（ように見える）のだろうか？
- ひとつの宗教の信仰（真理）を選び取るということは、他の宗教の信仰（真理）を否定することになるのだろうか？
- もし、ひとつの宗教の教え（真理）が正しく、その他多くの宗教の教え（真理）が間違っているとするならば、その他多くの宗教の信仰者は、生涯をかけて間違ったことを真剣に信じているということになるのだろうか？

たとえば、私がキリスト教の教えを真理と見なし、選び取ったとします。すると、イスラームと仏教の信仰者は、生涯をかけて信仰をしているにもかかわらず、間違ったことを信じていることになるのでしょうか。

このような宗教における真理の問題、それぞれの宗教で使用される言葉（たとえば、神、仏、天国、地獄、浄土、輪廻転生、愛、慈悲、など）の意味の問題へと私の関心は向かうことになります。

そして、このような**真理の問題**や**言葉の意味の問題**を扱っているのが、どうやら哲学らしい、というところまで私はたどり着くのです（このふたつの問題については、第六章で詳しく論じます）。

これが、私が哲学に入門したきっかけとなりました。

◆読書への目覚め◆

これらの問いに答えるために、私は哲学書や宗教書を読みはじめます。二十歳の頃ですから、本当に遅い読書への目覚めです。

様々な宗教の教えを勉強したり、その教えを実践している信仰者の本を読んで比較したりもしてみました。

すると、**宗教の教えは言葉上では異なっていても、その実践としての信仰者の生き方には尊敬に価するような何か、たとえ宗教は異にしてもどこかで共通している何かがある**ような気がしたのです。

たとえば、キリスト教のプロテスタントでは三浦綾子（一九二二―一九九九）を、カトリックでは遠藤周作（一九二三―一九九六）の本を読みました。

三浦綾子の代表作は『氷点』（角川文庫）、『塩狩峠』（新潮文庫）などです。そして、もし私が彼女の作品の中でいちばん好きな本は何かと問われれば、『ちいろば先生物語』（集英社文庫）と『愛の鬼才　西村久蔵の歩んだ道』（小学館文庫）を挙げます。

ちいろば（イエスを乗せた小さいロバのこと）と自称したプロテスタントの牧師である榎本保郎《えのもとやすろう》の生き方、同じくプロテスタントの信仰者で、教師、実業家でもあった西村《にしむら》久蔵《きゅうぞう》の生き方に私は感銘を受けることになります。

続いて、遠藤周作の代表作は『沈黙』（新潮文庫）、『侍』（新潮文庫）、『深い河《ディープ・リバー》』（講談社文庫）などです。

この『深い河』を読んだとき、登場人物の一人、カトリックの神父の資格を持つ大津という男の生き方に、私が求めていたものを見出したときの喜びは今も忘れられません。その生き方とは、カトリックの信仰をもっていても、他の宗教を信仰している者を否定せず、むしろそのような他の宗教の信仰者とともに生き、彼、彼女らのうちにイエスを見出そうというものです。

このような他の宗教を認める考え方を宗教多元主義《しゅうきょうたげんしゅぎ》と言います。

宗教多元主義は、神学者であり哲学者のジョン・ヒック（一九二二―二〇一二）が推し進めた考え方です。そのジョン・ヒックの著書『神は多くの名前をもつ』（岩波書店）、『宗教多元主義』（法藏館）にも私は多大な影響を受けました（宗教多元主義という考え方も、第六章で詳しく解説します）。

遠藤周作の『『深い河』創作日記』（講談社文芸文庫）を読むと、『深い河』を執筆するに際して、実は遠藤もジョン・ヒックの『宗教多元主義』を読んでいたことがわかりました。

遠藤周作とジョン・ヒックと私の三人が、同じ問題を共有しているということを知ったときは驚きでしたし、興奮しました。**時間と空間を超えて三人が結びつけられた**ことに不思議な縁を感じました。

そして、この問題を考えてもよいのだと二人に肯定してもらえたような気持ちになりました。

視点5
・
学ぶ喜びを知る

二度のフランス留学：土壇場のミラクル

二〇〇〇年に大学卒業後、幸運なことに、私は二度のフランス留学の機会を得ます。一回目の留学は、二〇〇二年からの三年間です。二回目の留学は、二〇〇七年からの二年間です。

一年目は、南仏のモンペリエ大学附属の語学学校に一年間通いました。その後、フランス北部、ドイツとルクセンブルクとの国境に近い街にあるメッス大学哲学科で二年間学びます。このメッス大学に入るまでに紆余《うよ》曲折《きょくせつ》あったのです。

当初は、モンペリエ大学哲学科の一年目に入学するつもりでした。ところが、大学入学のためのフランス語の語学試験を受けたところ、合格ラインに点数がわずかに届かなかったのです。

私はフランス語の基礎をしっかり学んでいたつもりでしたので、相当に落ち込みました。そして、落ち込みとともに、「どうしよう？」という気持ちでいっぱいになったのです。

というのは、モンペリエ大学に入学できなければ、もう一年だけ語学学校に通い、帰国しなければならなかったからです。これが私のフランス留学に課された条件でした。このままでは、フランスで哲学を学び、宗教の問題を考えるという私の夢が頓挫《とんざ》してしまいます。困った……。

そんな困ったある日、落ち込んでいた私に友達が次のような助言をしてくれたのです。「君はすでに日本の大学で学士号を取得しているのだから、フランスでは学士課程『二年目』以降に編入するべきだよ」、と。

そうなのです。当時の不思議なシステムなのですが、学士号をもっていない留学生が大学に入学するためには、フランス語の語学試験が課されます。ところが、すでに学士号を取得している留学生は、必要な書類（学士号の証書など）を提出し、審査に通れば、語学試験なしに編入できるのです。（現在では、フランス語力を証明する書類の提出が求められる場合もあるようです）。

「書類審査だけならば、どこかの大学に編入できるかもしれない」

私はそう思い、入手したリストを見ながら、哲学科のあるすべての大学に書類を送りました。「数を撃てば、どこかに当たるのではないか」、そんな気持ちでした。

それから、一ヶ月後くらいでしょうか。三つほどの大学から学士過程「一年目」への入学許可が下りました。

そうこうしていると、遅れてもうひとつ、メッス大学から学士課程「三年目」（！）への編入許可の通知が届いたのです。

後でわかったことなのですが、このメッス大学はリストに載っておらず、私は間違えて書類を送っていたのです。

人生、土壇場《どたんば》で何が起こるかわからないと実感しました。

巡り合わせ：私の背中を押したもの

また、メッス大学からの編入許可が下りたのと同じ頃、語学試験は点数不足でしたが、モンペリエ大学からも学士過程「一年目」への入学許可が下りました。すると私の中で、今度は不安と迷いが生じます。

というのは、私は日本の大学で本格的に哲学を学んでいませんでした。本を読むだけの独学です。初めて哲学を学ぶ私が、学士課程の「一年目」ではなく、「三年目」に編入して、勉強についていけるだろうかというのが不安と迷いの種だったのです。

しかし、あることが私をメッス大学へ行こうと決意させます。それは、モンペリエ大学の入学許可の通知と一緒に、哲学科の主任教授によるひと言が記された紙が入っていたことです。その紙には、次のように書かれていました。

「このままのあなたのフランス語力では、留年は確実です」、と。

そうか、ならば。留年は確実なモンペリエ大学の学士過程「一年目」へ進むより、どうせ留年するなら、メッス大学の学士過程「三年目」に挑戦してみようと私は心を決めたのです。

振り返れば、語学試験の点数が合格ラインに達していれば、メッス大学へ書類を誤って送ることはありませんでしたし、また、モンペリエ大学哲学科の主任教授によるひと言がなければ、私はメッス大学へ行かずにモンペリエ大学に進んでいたでしょう。

ですから、今思うと、一連の出来事の巡り合わせに、不思議なものを感ぜずにはいられないのです。

◆勉強できるという喜びを忘れない◆

モンペリエからメッスへ移るに際して、私は心の持ち方を根本的に変えようと思いました。

それまでのモンペリエでの一年間、語学試験に合格することばかり考えていました。いえ、第一章の表現を使うなら「思いわずらい、悩んで」いました。私は失敗はできないと自分に言い聞かすあまり、その不安と重圧に押しつぶされそうになっていたのです。

これからの与えられたメッスでの二年間も、きっと授業は大変で、苦しいこともたくさんあるに違いない。でも、フランスで哲学を学ぶことのできる夢にたどり着いた今、次のように考えよう、と。

勉強できる喜びを忘れずに過ごそう。
そして、もう心配をすることはやめよう。
起こることのすべてを一つひとつ楽しもう。

メッスではとにかく勉強の毎日でした。睡眠は六時間しっかりと取り、あとは勉強に捧げます。一日十時間勉強を目指し、寸暇《すんか》を惜しんで勉強しました。

朝、アパートを出て、大学の講義に出席。その後は、夕方まで大学の図書館にこもります。夕食後、シャワーを浴び、日付が変わる頃まで再び勉強。

それでも、やはり当初は、フランス語で話される哲学の講義にまったくついていけませんでした。講義の冒頭で先生が世間話をします。その世間話までは聞き取れるのですが、ひとたび哲学の講義がはじまると、途端《とたん》に先生の話が聞き取れなくなるのです。

ですから、先生に許可をもらい講義を録音し、アパートに帰ってテープ起こし（文字起こし）をします。テープを何度も巻き戻しては再生します。この作業は大変でしたが、これが私のリスニング力を上げてくれたと思います。

勉強はこの他にも、次の講義までに読んでおくべき本があります。また、二週に一本ペースで、Ａ４用紙十枚の小論文が課されます。そこに、修士論文の執筆も加わってきます。

それでも、**これほど勉強できたことは、その後の私の自信にもつながりました。**また、当時の勉強生活が今もよい思い出として残っています。

視点6

・

本を読むことで世界は開かれる

◆ ウィトゲンシュタインとの出会い ◆

メッス大学で受けた講義で、私はウィトゲンシュタインの哲学に出会います。

ウィトゲンシュタインはオーストリア・ウィーン出身。一九一二年、イギリス・ケンブリッジ大学へ渡り、哲学者ラッセルのもとで学びます。

第一章でも触れた著書の『論理哲学論考』は、「語りえぬものについては、沈黙せねばならない」という言葉で有名です。彼はこの著書を出版し、哲学の問題は解決されたとして、いちどは哲学の世界から離れ、故郷ウィーンへ戻り小学校教員や建築家などの職に就くのです。

しかし、一九二九年、彼はケンブリッジ大学へ戻ることになります。

さて、私がウィトゲンシュタインの哲学に興味を抱いたのは、彼の「宗教的信念についての講義」を見つけたことがきっかけでした。

これは、ウィトゲンシュタインの講義録で、ケンブリッジ大学の同僚で哲学者のジョージ・E・ムーアが筆記したものです。この講義録は『ウィトゲンシュタイン全集10』（大修館書店）に収録されています（また、この講義録については、第六章で改めて触れます）。

この「宗教的信念についての講義」こそが、私を本格的にウィトゲンシュタイン研究へと向かわせます。

そして一年後、私は「ウィトゲンシュタインにおける宗教的言説の位置について」という修士論文を執筆しました。

◆シモーヌ・ヴェイユとの出会い◆

シモーヌ・ヴェイユの著作に出会ったのは、修士論文でウィトゲンシュタインを扱った直後でした。立ち寄った街の書店で、シモーヌ・ヴェイユの『神を待ちのぞむ』（日本では河出書房新社など、翻訳は多数あります）を偶然見つけたのです。

シモーヌ・ヴェイユはフランス出身。哲学者アランに師事し、哲学を学びます。その後、フランスの高校の哲学教諭となります。生前、一冊も本を出版しませんでしたが、彼女が亡くなる前に友人たちに託した遺稿が編集、出版されました。現在ではフランスで全集が出版されています。

ヴェイユが生前に友人ギュスターヴ・チボンに託したカイエ（フランス語でノートの意味）から、彼女の死後に、チボンが主題ごとに編集し、出版した本が『重力と恩寵』（岩波文庫）です。

この『重力と恩寵』がフランス国内で反響を呼びます。戦争で荒廃したフランスにおいて、ヴェイユの透き通った言葉には読者の魂に訴えかけてくるものがあったのかもしれません。

さて、神について、実はウィトゲンシュタインは哲学的に多くを語りませんでした。ところが、『神を待ちのぞむ』の中で、哲学教諭であるシモーヌ・ヴェイユが神について多くを語っている（！）、私に衝撃が走りました。

修士論文では、「宗教の言葉は、信仰者によって生きられてこそ、はじめて意味をもつ」という結論に至りました。しかし、この結論では、宗教の言葉の意味すべてが信仰者の生き方に読みかえられてしまう恐れもあります。

そうではなく、たとえば「神」という言葉にそのまま意味をもたせるにはどうしたらよいのか、と私は考えはじめていたのです。神をそのままに語るにはどうしたらよいかという問いです（この問いについても、第六章で論じます）。

シモーヌ・ヴェイユの『神を待ちのぞむ』は、修士論文を書き終えた当時、まさに私が読みたいと思っていた類の本でした。

このように、**出会った本が私に次々と世界の扉を開いてくれた**のです。

さてこうして、私は留年をすることなく、無事にメッス大学での二年間を終え、哲学の学士号と修士号（前期）を取得しました。

そしていちど帰国した後、今度は二〇〇七年からの二年間、リヨン第三大学の哲学科修士課程（後期）と博士課程に留学します。博士課程では必要な単位を一年間ですべて取得し、残りは日本で博士論文を執筆するのみとし、二〇〇九年六月に帰国します。

博士号の口頭試問で

それから七年の月日が経過します。

二〇一六年六月八日――。

この日、私はリヨン第三大学の一教室にいました。

昼間はフランス語の翻訳の仕事をしながら、夜ごと書き続けた、八年がかりの博士論文の口頭試問を受けるべく、私は六名の教授からなる審査員を前にしていたのです。

博士論文の題名は、「現代において、私たちは神を語りえるか？　ウィトゲンシュタインとシモーヌ・ヴェイユをめぐって」。私が二十歳の頃から抱いてきた宗教の問題の集大成でした。私は三十八歳になり、あれから約二十年が経っていました。

審査員の前で論文の要旨を発表し終え、次に審査員との質疑応答です。質問の嵐でした。質疑応答後、審査員が審議に入ります。質問にうまく答えられず、汗びっしょりになった私は、いったん教室の外へ出て結果を待ちます。十分ほどで審議が終わり、司会の審査員が私に中へ入るようにと促《うなが》しました。再び、私は審査員の前に立ちます。司会の審査員が講評を述べた後、わずかな沈黙を置いて、結果を発表しました。

結果が聞こえた気がしたけど……。

私はまだ自分の聞いたフランス語に半信半疑でした。するど、論文の指導教官であるジャン゠ジャック・ヴュナンビュルジェ・リヨン第三大学名誉教授が、そっと席を立ち、私に歩み寄って来られました。教授は私の前まで来ると、右手を差し出し、微笑《ほほえ》みながらこう仰ったのです。

« Félicitation ! Maintenant, vous êtes Docteur en Philosophie. »

「おめでとう。今や君は哲学博士だ」

このときようやく、私は自分が口頭試問に合格したのだとわかりました。

教授の口から発せられた「Docteur en Philosophie（哲学博士）」という言葉が、今も私の中にずっしりと重く残っています。二〇一六年六月八日、この日は、私にとって生涯忘れることのできない日です。

◆博士、挫折する◆

二〇一六年（三十九歳）に博士号取得後、日本の大学の研究職の公募に二十校ほど応募します。ところが、全滅……。私の実力と著書や論文数などの業績が足りなかったようです。

仕方なく、生活のために別の仕事に就くことになります。

実は、二〇一〇年（三十三歳）に私は躁うつを発症しました（この病気については、「第五章　病むということ」で詳しく述べます）。

そのため、二〇一五年（三十八歳）に、それまでしていたフランス語の翻訳の仕事を辞めて、両親の住む故郷の静岡へ戻っていました。静岡では、フランス語や哲学にかかわる仕事は見つかりません。

また、うつで体調を崩したりなど、その他、様々な理由で職を転々とすることになります（この仕事の意味については、「第四章　働くということ」でゆっくりと考えます）。たずさわった仕事は、宅配ドライバー、小・中学生の家庭教師、事務の仕事、工場での製造の仕事、福祉の仕事、など。短期間で辞めざるをえなかった仕事を入れると、もう少しあります。

いちばん長続きした仕事は三年勤めた福祉施設でした。いちばん短かった仕事は、とある工場で、古参の社員にいびられ、四日で辞めることになりました。

また、別の工場では、半年間、重い部品を運んでいたため、腰にヘルニアを発症しました。ドライバー時代は、運転が遅いと上司に怒られ、福祉施設では先輩に威張られ、工場では理不尽に怒鳴られます。悔しい思いもしました。

フランス語や哲学を学んでみても、それ以外の事となれば、私は人生の落ちこぼれなのだと実感する日々でした。

心の師・池田晶子との出会い

生前にお会いしたことはありませんが、私は池田晶子を心の師と思っています。うつで苦しいときや、人生がうまく行かず心を倒しそうになったときにはいつも、**「今を生きなさい」**と彼女に言われている気がしていました。

彼女の著作を読んだのは、二〇一六年に博士号取得後、大学の研究職に就けずにいた頃です。職も転々としていました。

フランス語や哲学を学んだことを考えると、その特技を活かせず、畑違いの仕事で先輩に怒られる自分が惨《みじ》めになり、毎日とても苦しかった。

「博士号なんて取らなければよかった……。博士号なんか取ったから、自分の中におかしなプライドが生まれるのだ。もう哲学なんて忘れよう……」、そう思っていたときでした。

池田晶子は日常の言葉で哲学を語りました。**日常において哲学する、**このことが見えなくなりかけていた私の心の目を、もういちど開いてくれたような気がします。たとえ研究職に就けなくても、日常において哲学することはできるのだし、それが私のなすべきことなのではないかと思ったのです。

彼女の著作の存在は以前から知っており、何冊か持っていたのですが、読んでも理解できずにいました。ところが、その苦しかったときに再度読み直してみると、彼女の言っていることが自分なりに理解できるようになっていることに気づいたのです。

何が起きたのでしょうか。以前は理解できなかったものが、いつの間にか理解できるようになっている。おそらく、博士論文でウィトゲンシュタインとシモーヌ・ヴェイユの研究をしたことにより得たものが補助線となって、池田晶子の言葉の理解につながったのだと思います。

その補助線とは、「語り尽くせぬものを語ることが、哲学なのだ」ということです（この点については、第一章で「哲学の問いの性格」としてお話ししました）。

井筒俊彦との出会い

井筒俊彦（一九一四―一九九三）の著作との出会いは、二〇〇五年頃、ある日突然でした。何を思ったのか、何の脈絡《みゃくらく》もなく、後輩が「これ、面白いですよ」と言って、井筒俊彦の『意識と本質』（岩波文庫）を貸してくれたのです。

当初は難しさのあまり、まったく読めませんでした。ところが、この『意識と本質』も、二〇二二年以降、自分なりの理解ですが読めるようになりました。

『意識と本質』では、「共時性」（時を共にする）という考えの下、古今東西の哲学や宗教などの知見が縦横無尽《じゅうおうむじん》に引用され、それらが同一平面でダイナミックにとらえ直されます。そして、この書の主題である「意識はどのように物事の本質を把握するのか」という問いが多角的に論じられます。

そのような井筒俊彦の底知れぬ知識、そしてその知識をまとめ上げる圧倒的な力量に、私は唸《うな》るしかありませんでした。「日本に、こんな哲学者がいたとは……」。

三浦綾子、遠藤周作、ジョン・ヒック、ウィトゲンシュタイン、シモーヌ・ヴェイユ、池田晶子、井筒俊彦、彼、彼女らが私に影響を与えた人たちです。

これらの出会いは偶然でした。

たまたま授業で知ったり、たまたま本屋で見つけたり、たまたま後輩に教えてもらったり。**私が問題意識を持ち、考えていく中で、その機が熟すのを待っていたかのように、出会うべくして出会わせてもらった**人と本たちです。このような出会いを「ご縁」と呼ぶのかもしれません。

第三章

◆

哲学を体験してみよう‥「私」とは何か？

視点7

・

思考のうねりに乗ってみる

◆哲学議論そのものが心身を揺るがす体験◆

本章では、「『私』とは何か？」という問いを立て、実際に哲学者のテクスト（哲学書）を読んでみたいと思います。

哲学の議論（以下、哲学議論と表記します）を読んで感じる、**思考のうねりや深まりをあなたに体験してほしい**のです。

少し難度は上がりますが、できる限り平易な言葉で解説していきますので、一緒に考えてみましょう。

まず、思考のうねりや深まりとは、具体的にどういったものでしょうか。

たとえば、美術館に並ぶ絵画を想像してみてください。あなたは美術館に行った際、そこに並んだ絵画を実際に鑑賞し、その繊細さ、多彩な色使い、現実と見紛《みまが》うような臨場感などに心を動かされます。

図2：思考のうねりや深まりを感じるとは？

	知識を得る	考える
絵画	絵画の解説書を読む ・画家の生涯を学ぶ ・時代背景 ・美術史	絵画を鑑賞する ↓ （体で）感動する ＝ 自分だけが得る経験 ↓ “自分”で考える
哲学	哲学の解説書を読む ・哲学者の生涯を学ぶ ・時代背景 ・哲学史	哲学書（哲学議論）を読む ↓ （体で）感動する ＝ 自分だけが得る経験 ↓ “自分”で考える

哲学議論にも、美術館に並ぶ絵画のように、それ自体で、読む者の心を動かすものがある

んです。

哲学議論を追っていく中での、頭がクラクラするめまいのような体験。思考が一段深まったような実感。そのような体験、実感を、**思考のうねりや深まり**と私は呼んでいます。

画家の生涯や、その絵が描かれた時代背景、美術史など、そのような解説も絵画の理解のためには必要です。しかし、何よりも絵画それ自体を鑑賞しなくては、せっかくの解説も

頭に入って来ないでしょう（図2参照）。

哲学も同様だと思うのです。実際に哲学議論それ自体を読んで体感し、哲学とはこういうものかと肌で感じてほしいのです。

◆身体と魂、どちらが私？　幽体離脱できたとしたら◆

それでは、次の哲学の問いを考えてみます。

- 私を私であると意識している「私」とは何か？
- その「私」を指し示すことができるか？

まず、私を私であると意識している「私」を具体的に考えてみましょう。
たとえば、あなたは、穴があったら入りたいと思うような失敗をしてしまい、自分が情けなくなり、自分をやめたくなったことはありませんか。

しかし、まるで仕事を辞めるようには、自分をやめることは絶対にできないですね。こんな自分に嫌気《いやけ》がさしたからと言って、**私はこの私から抜け出すことは絶対にできません。**私は私をやり続けなくてはならない。

幽体離脱のように、自分がこの自分から抜け出すこともできませんね。

百歩譲って、幽体離脱ができたとしましょう。では、自分の身体から抜け出し、今や天井から自分の身体を眺めている魂としての私、つまり**幽体離脱に成功した私とは一体誰**なのでしょうか。

ようやく私の身体から抜け出したほうの魂としての私は、相変わらず私なのではないでしょうか。相変わらず私は私であると意識しているのですから。

◆ 存在するはずの「私」を指し示せないという困惑 ◆

ここまでは、私が私から抜け出すことを考えてみました。では、今度は逆に、私の身体の中に「私」を探してみましょう。

失敗をして自分に嫌気がさした「私」は、どこにいるのでしょうか。

この世界を見ている目の辺りに「私」がいるのでしょうか。では、この目が「私」でしょうか。目で見たものは脳で処理されるらしいので、「私」とはこの脳でしょうか。恥ずかしい失敗をしたとき、焦ったせいで心拍数が上がっているようなので、この心臓が「私」でしょうか。

しかし、たとえ目や脳、心臓を解剖してみても、「私」なるものはどこにもいないのではないでしょうか。「私」は、物質的な体の器官として存在するものではないようです。

このように、私の身体の中に「私」を探そうとしても、どこにも見つかりません。しかし、先ほどから**一生懸命に「私」を探そうとしている「私」は確かにいます**ね。

すぐ後で詳しく論じますが、デカルトがその著書『方法序説』（岩波文庫）で「ワレ惟ウ、故ニワレ在《あ》リ（我思う、ゆえに我あり）」と言ったのは、このことではないでしょうか。

しかし、**我思った時には確かに「私」はいるのですが、我探した時には見つけられない「私」**、これが大問題なのです。

◆ 透明な「私」？ ◆

ここで改めて、私を私であると意識している「私」を考えてみてください。

私が私であると意識している「私」を、今度は、『私』とはこれです」とあなたは指し示すことができるでしょうか。

あなたは鼻を指さすかもしれません。または胸を指さすかもしれません。

筆者である私の感覚としては、私の「私」を前から指し示そうとして、目指すべきものを通り抜けて、背中の後ろへ出てしまうような、私の「私」とはそんなつかみどころの無い感じがするのです。

つまり、「私」は確かに存在するのですが、ペンやコップのように「これです」と指し示すことができないのです。

それは、透明な「私」とでも言えるように思えるのです。この透明な「私」をどうやって指し示すことができるのでしょうか。

◆「私」は、まだ正確にとらえられていない◆

初めて哲学に接する際につまずきがちなのですが、「私」というすでに完成したものがそれ自体として、あらかじめあるのではないということに注意してください。

「私」は、いまだ誰にも、正確にとらえられていません。

哲学者たちは、「私」という不思議なものを、各々《おのおの》に描き出しているのです。ですから、**「私」の描き方も哲学者によって異なります。**

デカルトはデカルトなりの「私」を描きますし、後に見るフッサールも彼なり、ウィトゲンシュタインも彼なりに描きます。

ですから、あなたも、あなたなりに「私」を描いてみてください。

それでは、ここからは、デカルト、フッサール、ウィトゲンシュタインという哲学者にとっての「私」を参考にしながら、大問題である「私」の謎を追っていきます（スリリングな謎解きという意味で、**哲学書と推理小説は似ている**なと私はかねがね思っています）。哲学書を読んでいきますので、ぜひ思考のうねりを体験してみてください。

視点8

ひとつの視点を得る：デカルトの「私」を読み解く

「我思う、ゆえに我あり」

哲学の問いを考えるためにはまず、**似たような問いを考えている哲学者を探します。**そして、**ひとつの視点を手に入れる**のです。そして、**その視点と私たちの視点とを突き合わせます。**もし違いが見つかれば、今度はその違いについて掘り下げていきます。

そこで先ほど私たちは、「一生懸命に『私』を探している『私』は確かにいる」ということを確認しました。そして、このことは、デカルトの「我思う、ゆえに我あり」と同じではないかという気づきに至りました。よって、ここからはデカルトの「私」を詳しく見ていきましょう。

デカルト（一五九六―一六五〇）は若い頃、当時、ヨーロッパでももっとも有名な学校のひとつと言われたフランスのラ・フレーシュ学院で学びます。しかし、様々な学問を学べば学ぶほど、次のような疑問から逃れられなくなります。

その疑問とは、真理はひとつしかありえないはずなのに、（特に人文系の）学者の数だけ意見がいくらでもあるというのはどういうことか、というものです。

デカルトは、学問を学ぶことによって、確実な知識を得られると期待していたにもかかわらず、学業の全課程を終えても、たったひとつの真理からはほど遠い状態にありました。何やらもっともらしい学説ばかりが増えてしまい、彼は一体どれが本当のことかわからなくなったのです。

そこで、デカルトは本当のこと、つまり真理が知りたいと強く望みます。そして、もしそのような真理が見つかれば、それを基盤にして、まったく最初から一つひとつ知識を積み上げていこうと計画したのです。

そのためにまず、何が本当のことで、何が偽《いつわ》りのことかを判断できるよう、いちど、あらゆることを疑ってみようとデカルトは決めます。この疑いを**「方法的懐疑《ほうほうてきかいぎ》」**と言います。

「方法的懐疑」とは、真理に到達するための「方法」として、あえて「疑う」という意味です。**「方法」としての「疑い」**です。

そうして、デカルトは、暑い、寒い、痛い、かゆいという自分の感覚も、自分が身体をもっていることさえも疑いました。

デカルトの疑いは、さらに次のことにまで及びます。

私は、世界にはまったく何もなく、天も地も精神も物体もないと、自分に説得した。

（『省察』）

しかし、**疑っても疑っても、ただひとつのことだけは疑えない**とデカルトは気づいたのです。その気づきが、すでに見た次の有名な言葉です。

我思う、ゆえに我あり

◆「考える私」◆

「我思う、ゆえに我あり」とは、「私は考える、したがって私は存在する」という意味です。

考えている私自身は、確かに存在している。
私の存在を疑っている私も、疑っている私として、
私はその存在を認めざるをえない、

というのがデカルトの気づきです。

有名な箇所ですので、デカルト『方法序説』から引用してみます。

すなわち、このようにすべてを偽《ぎ》と考えようとする間も、そう考えているこの私は必然的に何ものかでなければならない、と。そして「私は考える、ゆえに私は存在する〔ワレ惟ウ、故ニワレ在リ〕」というこの真理は、懐疑論者たちのどんな途方もない想定といえども揺るがしえないほど堅固《けんご》で確実なのを認め、この真理を、求めていた哲学の第一原理として、ためらうことなく受け入れられる、と判断した。
（『前傾書』傍点、引用者。引用に際して、ひらがなを漢字に改めました）

まず、用語の説明をしておきましょう。

「懐疑論者《かいぎろんしゃ》」とは、あらゆることを本当かどうかと疑う人という意味です。懐疑論者は自分自身の知るという能力をも不十分なものと考え、一切の判断を控《ひか》えます。

たとえば、「私が見ている世界はリアルに存在するのか？」と懐疑論者は問います。

私たちは、当たり前のように、今日も目の前に世界がリアルに存在すると思っていますが、もしかすると、この世界は覚めない夢かもしれません。また、もしかすると、私たちは培養液に浸《ひた》した脳でしかなく、科学者によってその脳に電気刺激を与えられ、世界の映像を見せられているだけかもしれません。

このようにして、疑おうと思えばあらゆることをどこまでも疑えます。そのように疑う人を懐疑論者と呼びます。

しかし、**デカルトの「考える私」だけは、夢であっても、世界の映像であっても、それを見ている「私」は疑えずに存在する**のです。

そこで、デカルトはこの「考える私」を、自身の「哲学の第一原理」とします。「哲学の第一原理」とは、デカルトが探し求めた学問（＝哲学）の基盤（＝第一原理）という意味です。学者によって意見が様々であるようなことではなく、これこそ絶対に確かで「本当のこと」と言える基盤です。

◆「私」の意識は、それでも存在し続ける◆

さて、デカルトの気づいた「考える私」とは、具体的に何でしょうか。

デカルトは次のように書いています。

私とはただ考えるもの res cogitans でしかない。言いかえれば精神、すなわち魂、すなわち知性、すなわち理性である。（『省察』）

デカルトのこの『省察』（ちくま学芸文庫）という著作では、私とは「考えるもの」であり、それは精神、魂、知性、理性とも言いかえが可能だと述べられています。さらには、デカルトは次のようにも書いています。

私は疑い、理解し、欲するものであることは、きわめて明らかであって、それ以上明証的に説明するものは何もないほどであるから。しかしまた、この私は想像する私と同じ私でもある。（『前掲書』）

ここでは、私のあらゆる思考、あらゆる意識が、そのまま「考える私」であると述べられています。

思考とは、考えたり、理解したり、想像したり、疑ったりすることです。
また、意識とは、目の前にコップを見たり、物音を聞いたり、暑いと感じたりと、「意識が何かを何かとしてとらえる」ことです。

「意識が何かを何かとしてとらえる」とは、たとえば、意識は目の前の「コップの意識として」存在することができるのです。もし目の前に何も無い状態（完全真空の状態や無の状態）では、意識は「何かの意識として」いられなくなり、意識は何ものにもなれず、最終的には消えてしまうかもしれません。

でも、こんな無の状態でも、私を私であると意識している「私」は、私の意識として存在し続けることができるでしょう。やはり、デカルトの気づきは強力ですね。

視点9

・

視点を深める：フッサールの「私」を読み解く

「超越論」とは

私たちはここまで、デカルトの「私」に対する視点を考察し、その視点から何か得られるものはないかと考えてきました。その結果、「たとえ無の状態でも、『私』は私の意識として存在し続ける」という、ひとつの強力なヒントが得られました。

次に、私たちはフッサール（一八五九―一九三八）を見ていきます。なぜ**フッサールかというと、彼はデカルトの「私」を参考にしながら考えている**からです。私たちが先ほどのヒントをさらに掘り下げるうえでも、フッサールの「私」を知ることにより、そのヒントを**拡大鏡で見る**ことができます。では、フッサールはどのようにデカルトの「私」を引き継ぎ、吟味したのでしょうか。

デカルトとフッサールの哲学はともに「超越論哲学」と呼ばれます。「超越論」とは、「超越」しているものについて「論」じる、という意味です。

では何を超越しているのでしょうか。

それは私たちの議論を超越しているのです。

「我思う」、つまり「考える私」は学問の基盤になっており、デカルト、フッサールの議論のあらかじめの前提です。

議論の前提は、それ以上さかのぼって問うことができないものなので、議論の対象から除外されるのですね。その意味で、

「我思う」、つまり「考える私」は超越しているもの

なのです。

◆自然主義と歴史主義を考える◆

デカルトから約三百年後の十九世紀末、フッサールは哲学の分野のひとつである現象

学を創始しました。そして、「事象そのものへ！（Zu den Sachen selbst !）」という研究標語を掲《かか》げました。

この標語は、事象をあらゆる先入見（思い込み）なしに、ありのままに見つめていこうということです。事象が自ら現れ出る仕方を、先入見をなくして、ありのままに「私」が記述していくのが現象学です（現象学とはどんな学問なのかについては、後ほど再び言及します）。

フッサールは、その当時のヨーロッパの学問（特に科学）の基礎が揺らいでいることを懸念《けねん》していました。どのように揺らいでいたのかを知るためには、当時のヨーロッパの学問において主流となっていた自然主義と歴史主義という考え方を検討する必要があります（以下の自然主義と歴史主義については、野家啓一、他『現代思想の源流』（講談社）所収「フッサール」参照）。

自然主義という考え方によると、物質的な自然のみを真に存在するものと見なします。すると、人間の心や精神、意識も自然の一部と見なされ、自然科学として扱えるとされます。しかし、その自然は形も大きさも性質も様々であり、科学にとって必要な「普遍性」（いつ〈時〉、どこでも〈場所〉、変わらない普遍の性格）を欠くのです。

そして、この点が大事なのですが、自然主義が「すべては自然である」と考えるためには、すべての人間は理性という「普遍的」な基準を有していることを前提としなければなりません。

ところが、自然主義の考え方では、この理性をも「普遍性」を欠いた自然の一部としてとらえねばならないのです。その結果、自然主義が前提としていたはずの理性という「普遍的」な基準を自然主義は自ら否定することになります。

つまり、理性も自然の産物だとすると、自然の産物で自然を考えることになるのです。すると、どうなるかというと、「普遍性」という基準を欠いた理性で自然を測ることになります。したがって、自然主義のように「すべては自然である」と考えると、「普遍的」な学問が成り立たないのです。

また、歴史主義という考え方によると、学問における真理や理論は時代や場所によって変わるとされます。すると、真理や理論は相対化（時と場所によって真理や理論が変化）し、こちらも、「普遍的」な学問が成り立ちません。

このように、時と場所によって真理や理論が変化してしまうならば、「普遍的」な学問ではありえない。そうフッサールは考えたのです。そして、彼は「普遍的」な学問を打ち立てるための基盤を探します。その基盤こそが、彼にとっての「私」です。

◆「方法的懐疑」と「現象学的還元」◆

この点、前節で見たデカルトと似ていませんか。

そうなのです。すでに述べましたが、フッサールは、デカルトの「私」にならい、現象学を打ち立てたのですね。

デカルトも学問の基盤を求めて、「方法的懐疑」を行いました。

フッサールも、デカルトのように、学問の基盤を求めて、「現象学的還元《げんしょうがくてきかんげん》」を行います。

「現象学的還元」とは何かを説明しましょう。

まず、「現象学的還元」＝「判断停止（エポケー）」とセットで覚えてください。「判断停止（エポケー）」とは、文字どおり判断を停止することです。判断をいちど「括《かっ》弧《こ》に入れること」を、古代ギリシア語でエポケーと言います。そして、この判断停止は、「現象学的還元」の別名なのです（『現代思想の源流』所収「フッサール」参照）。

次に、「現象学的」とは、「現象学の方法としての」という意味です。そして、「還元」とは、「元の形や性質に戻す」という意味です。

何をどのように「元に戻す」のかというと、世界が「私」とは独立して「完成品」として存在するという断定を判断停止して、いちど括弧に入れます。そして、「現象学の方法」として「元に戻す」（現象学的還元）とは、「私」に与えられる、あるがままの姿で世界をとらえ直そうという試みです。

先ほど、現象学の研究標語に触れました。繰り返せば、それは、事象をあらゆる先入見（思い込み）なしに、ありのままに見つめていこうとすること。事象が自ら現れ出る仕方を、先入見をなくして、ありのままに「私」が記述していこうとすることでした。

「超越論的主観性」

こうして、現象学において、学問の基盤として「私」が据《す》えられます。そして、フッサールは、この「私」を「超越論的主観性」と呼び直します。この「超越論的主観性」について、フッサールが述べている部分をその著書『ヨーロッパ諸学の危機と超越論的現象学』（中公文庫）から引用してみましょう。

私は、つまりこの判断停止をおこなう私は、その判断停止の対象領域には含まれていないし、むしろ私は、私がその判断停止を真に徹底的かつ普遍的におこなう場合には、原理的にその領域から除かれている。私はその判断停止の遂行者として不可欠なのである。（中略）普遍的な判断停止をしている間も、「私が存在する」という絶対に必当然的な明証性が私の手もとに残されるのである。（『前掲書』引用に際して、訳文を若干改め、ひらがなを漢字に直しました）

引用文を読み解くことができましたか。

先ほども述べたように、この引用文で言われていることは、**フッサールの「私」、つまり「超越論的主観性」は「現象学的還元」をするために必要であり、そして同時に、「現象学的還元」から除外されている**ということです。

デカルトが「方法的懐疑」で行ったことを思い出してください。デカルトはあらゆることを疑いました。そして、疑っても疑っても、疑っている「私」だけは確かに存在すると気づいたわけです。

デカルトにとっても「私」は「方法的懐疑」を行うために必要であり、そして同時に、「方法的懐疑」の対象、すなわち疑う対象から「私」は除外されました。

フッサールにとっても、「超越論的主観性」、つまり「私」は不動のまま残されることになります。

さて、『私』とは何か？」という私たちの問いに対して、デカルトとフッサールは、「私」とは学問の基盤であり、前提であると答えます。それゆえに、「基盤や前提とは何か？」という問いは議論から除外されており、問えないのだと答えるのです。そして、

「『私』を指し示すことができるか？」という私たちの問いには、二人は答えていません。

では最後に、ウィトゲンシュタインの「私」を次節で見てみましょう。

視点10

別の視点を得る：ウィトゲンシュタインの「私」を読み解く

◆「私が見出した世界」という本◆

なぜ私たちはウィトゲンシュタインを見ていくのかというと、**ウィトゲンシュタインは、デカルトとフッサールとは別様に「私」をとらえている**からです。

まず【視点8】で、**デカルトからひとつの視点**を得ました（「たとえ無の状態でも、『私』は私の意識として存在し続ける」ということ）。

そして次に【視点9】で、デカルトの視点を**フッサールという拡大鏡で観察**しました。二人にとっての「私」は学問の基盤として、「在らねばならないもの」だということを私たちは確認しました。

今度は【視点10】で、デカルトやフッサールの「私」とは別の視点を探します。その**別の視点こそ、ウィトゲンシュタインの「私」**です。

では、ウィトゲンシュタインの「私」を見ていきましょう。

デカルトとフッサールはそれぞれ、学問の基盤として「私」をとらえました。それは

「私」を「**存在する**」ものとして、**ポジティブにとらえた**と言えます。
しかし、後述するように、ウィトゲンシュタインは「『私』はこの世界の中に**存在しない**」と**ネガティブにとらえます。**「私」のポジティブな側面とネガティブな側面は、「『私』を指し示すことができるか？」という私たちの問いを考える上で、**「私」の位置を知る参考になります。**
では、早速、見ていきましょう。

ウィトゲンシュタインの『論理哲学論考』から引用します。

五・六三一　思考し表象《ひょうしょう》する主体は存在しない。
「私が見出した世界」という本を私が書くとすれば、そこでは私の身体についても報告が為《な》され、また、どの部分が私の意志に従いどの部分が従わないか等が語られねばならないだろう。これはすなわち主体を孤立させる方法、というよりむしろある重要な意味において主体が存在しないことを示す方法である。つまり、この本の中で論じることのできない唯一のもの、それが主体なのである。

（『前掲書』傍点、一部引用者）

まず、用語の解説です。

「表象する」とは、目にしたものを心のなかで思い浮かべることです。たとえば、コップを表象するとは、目の前にあるコップをイメージ（映像）として心のなかで思い描くことを言います。

そのような「思考し表象する主体」は存在しない、とウィトゲンシュタインは言います。ここでの「存在しない」とは、私たちの問い「『私』を指し示せるか」に答えるものです。ウィトゲンシュタインによれば、「私」は存在しないのだから、指し示せないと答えるでしょう。

この点、「私」は「存在する」と言ったデカルトやフッサールとは違うのです。

さて、ウィトゲンシュタインは「『私が見出した世界』という本」を書くとすれば、という仮定をしているのですね。早速、その本を書いてみましょう（※註3）。

私が見出した世界には、山があり、川があり、建物があります。それら風景をくまなくこの本に書くのです。

そして次に、私に見える人物たちも書き加えましょう。おじいちゃん、おばあちゃん、お父さん、お母さん、お兄さん、お姉さん。その他、弟、妹……。

段々と私に近づいてきました。

今度は、私の身体も書き加えましょう。両腕、両足、お腹など、見える部分をどんどん書き加えていきます。

次は、私の意志についても書けるとウィトゲンシュタインは言います。宿題をせずに遊びに行くぞ、テレビを見るぞ、など。その他、暑い、寒い、お腹が空いた、疲れたなどの感覚も書けます。


ところが、とウィトゲンシュタインは言うのです。

「主体」である私をこの本の中に書くことはできない、なぜなら、世界を見ている「主体」は、この世界には存在しないからだ。「つまり、この本の中で論じることのできない唯一のもの、それが主体なのである」、と。

「主体」は世界に存在しない、「主体」はこの本の中で論じることはできない、とはどういうことでしょうか。

◆「形而上学的な主体」◆

先の引用部分に続けて、ウィトゲンシュタインはこう述べます。

五・六三二　主体は世界に属さない。それは世界の限界である。
五・六三三　世界の中のどこに形而上学的な主体が認められうるのか。
（『論理哲学論考』傍点、引用者）

まず用語の解説をします。
「形而上学」とは、「私たちの一切の経験を超えつつ、物事を根拠づけるもの」を探究する学問ほどの意味です。一切の経験を超えているとは、哲学では「先験的《せんけんてき》」とも言います。それは、私たちが生まれた時にはすでにあらかじめあったもの。私たちが作り出したものではなく、それ自体としてあるものを言います。

「形而上学的な主体」とは、先ほどのデカルトやフッサールの「私」を考えてもらうのが早いでしょう。二人の「私」は学問の基盤であり、それは他の何ものにも根拠づけられる必要がないのですね。

しかし、ウィトゲンシュタインは二人に反論するのです。それ自体としてある「私」、つまり「主体」なるものは、世界の中のどこに見出されるのか、と。「主体」は世界の中に見あたらない。それが「主体は世界に属さない」の意味です。

そして、この引用部分で難しいところは、「それ（主体）は世界の限界である」という部分でしょう。「私」は「世界の限界」であるとは、限界ですから、行き止まりを考えてもらえばよいと思います。限界とは、それ以上向こう側へは行けないという意味です。

したがって、デカルトとフッサール同様に、ウィトゲンシュタインにとっての「私」**も議論できず、議論から除外されねばならない**のです。

ただし、三人の相違点を述べれば、デカルトとフッサールは、「私」は在るとして、ポジティブにとらえました。

しかし、ウィトゲンシュタインは、「私」は無いとして（限界であるとして）、ネガティブにとらえたのです。

◆まとめ：ほんの一歩先へ進んでみる◆

以上のように、ここまで私たちは、

・私を私として意識している「私」とは何か？
・その「私」を指し示すことができるか？

という問いを立て、デカルト、フッサール、ウィトゲンシュタインの「私」を見てきました。ここで三人の「私」をまとめてみましょう。

デカルトの「私」とは、「考える私」であり、それが**確かに在る**ことから、彼の「哲学の第一原理」、つまり学問の基盤とされました。

フッサールの「私」とは、デカルト同様に確かに在るのであり、さらに、それは「普遍性」を有する理性を担うものとして、学問（特に科学）の基盤とされました。

このように、二人は「私」をポジティブにとらえます。

この点で、ウィトゲンシュタインは、「私」など「この世界の中に存在しない」と、ネガティブに「私」をとらえます。

三人の議論をまとめると、この世界の中に「私」は在るとも、無いとも言えることになります。それはまるで、**「在る」と「無い」の境界線上に「私」が位置する**ようにも考えられます。ウィトゲンシュタインならば、この境界線を「世界の限界」と呼ぶでしょう。

そして、三人の「私」の共通点も発見できます。その共通点とは、**「私」なるものは確かにこの世界を見ている**ということです。このことをウィトゲンシュタインならば次のように仮定するでしょう。すなわち、「私が見出した世界」という本を私が書くとすれば、

と。

したがって、私たちの結論を述べるなら、

「私」とは「在る」と「無い」の
境界線上に位置するものであり、
その「私」は視点として、
確かにこの世界を見ているものである。

となります。

◆　**「私」＝点＝0（ゼロ）？**　◆

そして、ここが大事な点なのですが、私たちのこの結論は次のことに似ているのです。

それは、数学の点の定義です。

数学の『ユークリッド原論』(共立出版)では、点とは、位置を示し、「部分をもたないものである」と定義されます。**「私」というものも、位置だけを示し、空間的な部分や広がりをもたないもの**かもしれません。

「私」は「在る」と「無い」の境界線上に位置するという結論から、「私」とは数直線上のプラスでもマイナスでもない数字の0(ゼロ)、つまり「私」=0であると導かれます。

さらに数学的に考えると、この0は何も無いということではなく(在るでも、無いでもないので)、この0を成り立たせている「何らかの次元」というものが想定されるとも考えられるのです。

本書では、この「私」=0を成り立たせている「何らかの次元」の考察には踏み込みませんが、「私」=0は非常に興味深い問題を私たちに提示してくれます。

さて、私たちの結論に戻ります。この在ると無いの境界線上に位置する「私」は、ここから見ているという**「私」の視点の位置だけは示す**のですが、その位置を示している点自体の中を探してみても、その点は部分や広がりをもたないため、その点の中に「私」

というものを見つけ出すことは不可能であり、よって、「これが『私』です」と取り出すこともできないと言えます。

◆「私」の身体◆

こうして私たちの議論は、**「これが『私』です」と取り出すことはできず、しかし「私」の位置だけは知ることができそうだ、**というところまで来ました。

ところで、

「私」の位置とは何でしょうか。

それは、「私」の身体そのものだ。

というのが筆者である私の考えです。

ですから、私たちが本章の初めのほうで行ったように、私の身体の中に「私」を探してみるという方法がよろしくなかったのかもしれません。私たちは暗黙の了解として、心と身体を分離していたのです。

この議論の副産物ですが、心と身体を分離させる考え方を心身二元論《しんしんにげんろん》と哲学では呼びます。

デカルトのように、私たちも無意識のうちに、身体の中に「私」の心や魂なるものがあると想定していたのです。そして、それを探し出し、「これが『私』です」と取り出すことができると考えてしまったようです。

•私を私であると意識している「私」とは何か？
•その「私」を指し示すことができるか？

これらの問いを考えることによって、心身二元論という心と身体を分離する考え方は、一見、私たちになじみ深いものに見えて、なかなか悩ましい問題だということを、本章の副産物ながら、私たちは知ることができます。

しかし、筆者である私はここで、人間の心や魂の存在を否定しているのではありません。人間の心や魂を取り出し、指し示すことは困難だということを確認したいだけなのです。

そして、心や魂は、数学で言うところの点として、その位置だけは知ることができるという所までは私たちの議論は到達しています。

つまり、**「私」の位置＝「私」の身体そのもの**です。

「私」の身体こそが、「これが『私』です」と指し示すための**最小単位**と言えるでしょう。

以上、哲学議論がもたらす思考のうねりをあなたに体験してもらいました。

また、このなかなか解けない「私」について問いの存在を知ることは、新たな発見です。第一章でお話しした「わからないとわかる」とは、こういうことなんですね。そして、このような「私」についての問い自体が「神秘」なのです。哲学における驚き、感動、知る喜びはこういうところにあるんです。

※註3：独我論

この引用部分では**独我論**《どくがろん》という考え方が下敷《したじき》になり、隠れています。

独我論とは、**世界には私しかおらず、世界も他者も私の意識という舞台の登場人物に過ぎない**という考え方です。

普通に考えれば、独我論者である人に、「世界には私しかいない。あなたは私の意識の中にいるのみだ。よって、私が死んでしまえば、あなたも世界も消滅してしまう」と言われたら、納得がいかないと反論したくなるかもしれませんね。

はたしてウィトゲンシュタインは独我論者であるかという点で、この引用部分の解釈は研究者によって異なります。

ただここで、一点だけ言っておけば、この独我論という考え方を哲学的にきっちりと反論することは難しいということです。どのように難しいのかというと、私（自我）は、他者の私（他我）に入り込むことができないからです。

自我が他我に入り込み、他我の思考の中をのぞくことはできません。よって、他我の目から世界を見て、独我論が正しいかと確認することもできないのです。

これは、「他者に心はあるか」という問題で、「心の哲学 Philosophy of Mind」につながります。たとえば、自分と同じように、どうも他者にも心なるものはありそうですが、他者の中に入り込んで、他者の心を確認することはできませんよね。

また、「ロボットに心はあるか」という問題も同様です。どうもロボットには心は無さそうですが、どのようにそれを確認するべきか、何を根拠にロボットには心が無いと言えるのか、興味深いところです。

この引用部分を独我論という下敷なしに読めるのではないかと筆者である私は考えています。そこで、本章では、独我論を横へ置き、ウィトゲンシュタインの言う『私が見出した世界』という本を私が書くとすれば」という仮定のアイデアだけを借用しました。

第四章
◆
働くということ

視点11

・

まず、自分の感情を見つめる

私たちはなぜ働くのか？

本書を執筆中の二〇二三年三月現在、私は、エアコンや冷蔵庫用の電源コードを製造する工場で働いています。そのため、毎朝六時に、目覚まし時計に起こしてもらっています。

でも、毎朝、必ずしも元気に起きられるわけではありません。仕事に行きたくない気分のときもあります。前日の疲労が残り、起きたくないときもあります。そんなとき、頭に思い浮かぶことは、「なぜ働くのだろう」、「なぜ働かなくてはいけないのだろう」という疑問です。

こういった疑問、あなたも問うたことはありませんか。学生なら、「なぜ勉強するのだろう」、「なぜ学校に行かなければいけないのだろう」と。社会人なら、先ほどの私の疑問と似たようなことを問うたことがあるのではないでしょうか。

そこで本章では、「働く」ということをテーマに考えてみたいと思います。

第二章で触れたように、私は二〇一六年に哲学の博士号を取得後も、研究職に就けず、工場や福祉の現場などで働いてきました。

そのような畑違いの仕事をするなかで、哲学することを通して、私はどのように理想と現実の折り合いをつけ、やりがいを見出そうとしたのかをお話しします。そして、第一章で見たように、仕事に**悩むのではなく**、仕事とは何か、仕事の意味とは何かを**考え**ていきます。

◆働きたくないという気持ち◆

勉強したくない、働きたくない、そんな思いを抱いたことのある人は結構いるのではないでしょうか。勉強も仕事も、自分がやりたいわけではない。でも、学生ならば勉強が、社会人ならば仕事が、生きるために課せられた務めと考えることができるでしょう。勉強や仕事を務めとしてとらえると、どうしても「やらされている感」がありますよね。自分のやりたいこと、好きなこと、たとえば遊びには、この「やらされている感」はありません。

自分がやりたいことをやる、楽しいし、何の文句もありません。でも、自分のやりたくないことだったら、どうでしょう。「なぜ、やらなければいけないのか」という問いが湧いてきませんか。

それがネガティブな感情から生まれたものであれ、
その問いを大切にしましょう。
なぜなら、その「なぜ」から、
あなたの哲学がはじまるからです。

このようにして、働きたくないという思いから、勉強や仕事の意味を問うことになります。「仕事の意味って何だろう」、これはもう立派な哲学の問いです。

◆「手段」としての仕事◆

では、何のために働くのでしょうか。考えてみます。

ここでは、「何のために」という目的に注目して、どんな種類の目的があるかに分けて考えます。この

「目的ごとに分ける」という方法は、哲学するうえで大事なテクニックです。

さて、まず第一に思い浮かぶのは、お金を稼ぐために働く、という答えでしょうか。

確かに、生きるためにはお金が必要です。生活するためには、最低限のお金がなくてはなりません。そのために、働く。その通りですね。

生きるため、生活のため、家族のため、欲しいものを買うため、など。この誰かや何かのために仕事をするという考えを「目的を達成するための手段としての仕事」と考えます。

「なぜ働くのか」という問いに対する第一のステップには、何かしらの目的を達成するため、という答えがあたるでしょう。

◆「仕事が趣味」という場合◆

では、ここで第二のステップに進みましょう。

「仕事が趣味」とか、「仕事が楽しい」から働くという人もいるでしょう。こう考える人は、幸せだと思います。仕事に「やらされている感」を抱かずに済みます。

自分のやりたいこと＝仕事、であれば、「なぜ働くのか」という問いへの答えは明確です。でも、もし万一、趣味であるその仕事を失ってしまったら、どうでしょうか。途端に働く意味を見失ってしまい、迷ってしまうということになるのではないでしょうか。

これは私の経験ですが、私は、二〇〇五（二十八歳）年から十年ほどフランス語の翻訳を仕事にしていました。この十年間は、私にとって、まさに「仕事が趣味」でした。ですから、毎日の翻訳の仕事が楽しく、仕事に苦痛を感じた思い出がほとんどありません。

ところが、二〇一〇年（三十二歳）、躁うつを発症してしまい、二〇一五年（三十八歳）には、この大好きだった翻訳の仕事を辞めざるをえなくなりました。

その後、体調が回復したため、翻訳以外の様々な仕事に就くことになります。ところが、翻訳の仕事をしていた頃のような楽しさを、私はそれらの仕事には見出せなかったのです。ここで、私は真剣に「仕事をする意味」に向き合わざるをえなくなったのですね。

ですから、今、仕事が好きだから、仕事が趣味だからと考える人も、いちど立ち止まって、本当の「仕事の意味」を考えてみてほしいのです。

「やらされている感」をどうにかしたい

ここまで私たちは、「手段としての仕事」（第一のステップ）、「それ自体が目的であるような仕事」（第二のステップ）を考えてきました。

「手段としての仕事」の場合、付きまとうのは「やらされている感」です。自分の意志とは違うけれども、やらなければいけないことが仕事だと考えられます。

やらなければいけないからやる。

このように覚悟を決めてしまうのも、潔《いさぎよ》いのですが、どうも仕事というものをネガティブにとらえる視点から離れることができません。

実際、約四十年以上もの仕事人生において、ずっとこの「やらされている感」を抱くとしたら、どこか寂しくないでしょうか。約四十年以上も、胸の内にもやっとした「やらされている感」を抱いて仕事を続けることって、どこかつらくないでしょうか。

そこで、この胸の内にもやっとしてある「やらされている感」をすっきりさせたい、どうにかしたい。

私自身が、自分の意志とは違う工場の仕事をするなかで、この「やらされている感」をどう解消すべきかをずっと考えてきました。

では、実際に、どうにかできないか、考えてみましょう。つまり、仕事をするということを、受動（やらされている）から能動（やりたい）へとシフトできないか、ということです。

ここでも、

哲学するうえでの大事なテクニックがあります。
「反対のもの同士を探し、違いを見つける」
という方法です。

「やらされている感」であれば、この反対の感覚はどんなものかを探してみるのです。もし見つかれば、**その反対の感覚がどんな理由で感じられるか**を考えます。

◆　受動的な仕事から能動的な仕事へ：プロフェッショナル意識　◆

私が勤める工場の職場に、仕事のできる先輩がいます。私が三十分かけて行う仕事を十五分で終えてしまう。しかも、ミスなしに、です。その先輩は、普通の人よりも体が丈夫というわけではありません。私よりも若い女性です。ご結婚されており、お子さんもおられます。つまり、働くお母さんです。

工場での仕事ですから、決まった一定の作業を繰り返し行う仕事です。楽しいか、つまらないかと問われれば、「つまらない」と私なら答えたでしょう。

「答えた」。なぜ過去形なのかというと、私はその先輩の仕事ぶりを見て、**仕事をつまらなくしているのは私自身だったことに気づいた**のです。

たとえつまらない仕事であっても、プロフェッショナル意識を持とうとすれば、自ら努力しようとします。仕事をより早く、正確にする工夫も必要です。これが、「自分から進んでやろう」という気持ちです。

そういったことを考えると、最初はつまらないと思っていた仕事が、私には徐々《じょじょ》に楽しく感じられてきたのです。そして、誰よりも早く、正確に仕事をするその先輩が、私にはかっこよく見えたのでした。

この先輩のように仕事ができるようになりたい。

そう思っただけで、私の中で、それまでの「やらされている感」が薄れ、受動（やらされている）から能動（やりたい）へと考えがシフトされたのでした。

ここで何が起きたのでしょう。

私は自分の仕事に、自ら目標を設定したのです。自分で目標を設定して、その目標に向けて試行錯誤をする。こうすることで、私の中に「自分から進んでやろう」という気持ちが生まれました。

◆「やりがい」としての仕事にするには◆

これが自分の仕事だと思えるようになり、仕事をすることが楽しくなってくると、そこに「やりがい」というものが生まれます。この「やりがい」としての仕事になると、お金のためという「手段としての仕事」という考えは影をひそめます。

あの**「やらなければいけないからやる」というネガティブな気持ちの原因は、どうやら、この「やりがい」の欠如《けつじょ》にあった**ようです。そして、その反対の「やりたいからやる」という気持ちも、この「やりがい」にともなわれて生まれるようです。

この「やりがい」は、「やらされている感」を私たちが消し去るうえで、とても大切な要素ではないでしょうか。

さらに私たちの考えを一段深めます。

つまり、「やらされている」と「やりたい」という気持ちが対立している場面から、さらに一段、私たちの思考を掘り下げ、その思考の前提になっているものを探し出します。

「思考の前提を探す」、
これも哲学するときのテクニックです。

◆働ける喜びを見出すには◆

ここで、働ける喜びを感じることについて、私の体験をお話ししたいと思います。

私が工場に勤めはじめた頃、仕事がつまらなく感じ、「嫌だなぁ」と毎日思っていました。工場なんてつまらない仕事ではなく、本を書いたり、翻訳をしたり、自分の好きな仕事がしたいと不満を抱いていたのです。

ところが、働きはじめてひと月くらい経った頃、それまでの慣れない仕事の疲労が溜《た》まり、ある朝、体が重く、頭痛もし、起きられなくなったのです。

この体が動かなくなるという体験が、私にとって重要でした。

この体験が私の意識を変えてくれたのです。


どういうことでしょうか。

「働きたい」とか、「働きたくない」などと思う前に、そもそも私は自分が健康で働けることに感謝していただろうか、と気づいたのです。

ただでさえ、躁うつを持病としている私が、工場で普通に働けること、このことの有り難みが私には見えていなかったのですね。

自分の健康があって初めて「働きたい」とか、「働きたくない」と私は思えたのです。病気になったら、そもそも「仕事に行きたくない」とさえも私は思うことができないのですね。


つまり、「働きたい」、「働きたくない」と私が思うことを可能にしていたもの、見えなかった思考の前提が「健康であること」なのです。

ですから、この体が動かなくなるという体験で、私は自分の仕事に不満を抱いていたことを反省しました。そして、どんな仕事であれ、まずは健康で働けることに感謝するようにしたのです。

◆ 哲学することで、気持ちも爽やかになる ◆

厳しい競争社会のなかで、同期に先を越された、後輩に先を越されたという悔しい思いをされている人も多いと思います。「なぜ、あいつであって、俺ではないのか?」そんな思いに、私も捕《とら》われます。

また、工場に入れば、歳下の上司に指導を受けねばなりません。フランス語や哲学なら負けないはずなのに、工場ではそんなものは役に立たないのです。作業を正確かつ早くできた者が上なのです。

しかし、第一章で述べたように、そのような私の思いは「悩み」でしかないのですね。やはり、どうせ考えるなら「哲学の問い」でなくてはならない。では、何を考えるか? 「仕事ができる可能性の条件」を問うべきでしょう。それは何かと言えば、「健康」ですね。

うつ症状が出れば、私は競争に加わることさえできない。仕事ができることは当たり前ではないという「健康への感謝」の気持ちが芽生えます。

以上のように考えてみること、つまり**哲学してみることで、今まで見えていなかったものが見えてきます。**

また、「仕事とはこういうもの」という思い込みや先入観があったことを知ることで、今度はそれらの罠《わな》にはまらないように気をつけることができます。

「思い込みや先入観を見つけ出す」ことも、哲学するときのテクニックです。

哲学することで、このようなマイナス要素を取り除くことができ、以前より気持ちも爽《さわ》やかに生活することができるのですね。

視点12・哲学者の「生き様」を知る

◆私の好きな二人の哲学者◆

二〇一〇年（三十三歳）に、私は躁うつを発症しました。二〇一五年には、それまでしていたフランス語の翻訳の仕事を辞めねばならないほど、私の心と体は言うことを聞かなくなっていました。

また、多少とも心身の健康を取り戻しつつあった二〇一六年、フランスで哲学博士号を授与された私は、日本の大学の公募に応募しましたが、結果はすべて不採用でした。

二〇一五年に、うつの療養のため、両親の住む故郷の静岡へ戻っていた私は、フランス語とも、哲学とも関係のない工場や福祉などの仕事に就くことになります。

フランス語や哲学の道で生きてきた私が、まったく畑違いの仕事に就くことは、やはり自分のなかで納得がいきませんでした。うつを患ったばかりに好きでもない仕事をしなければならないこと、上司や先輩から理不尽に注意されたり、怒られたりすること、それに耐えなければならないこと。私はうつを病んだ自分の人生を恨《うら》みました。

そんななか、思い出されたことがあります。それは、ウィトゲンシュタインとシモーヌ・ヴェイユも、「哲学の世界」から離れ、世間のなかでまったく畑違いの仕事に従事していたことです。

ここで言う「哲学の世界」とは、大学などに籍を置いて哲学研究をするという狭い意味です。実際に、ウィトゲンシュタインもシモーヌ・ヴェイユも「哲学すること」から完全に離れたのではないのですね。

大学などを離れても、**二人にとっては「哲学すること」がライフワークであり、さらに言えば「生きること」と同義《どうぎ》であった**と言ってよいと私は考えています。

私がウィトゲンシュタインとシモーヌ・ヴェイユを好きな理由は、その**言葉と生き方が一致している**という点です。ここでの言葉とは、哲学・思想のことです。考えていることと言ってもよいでしょう。それらが生き方と一致しているのです。

言動《げんどう》の一致ですね。このことは簡単なようで、実際に生きてみると難しい。その難しさを、二人は自分に厳しく生き抜いたということに私は惹かれるのです。

ウィトゲンシュタインとシモーヌ・ヴェイユは、第一次、第二次世界大戦が起きた同時代のヨーロッパに生きた二人です。地理的にも近いところにいました。しかし、二人が互いの思想を知っていたという事実や証言は現在のところ見つかっていません。

◆哲学研究の世界から離れる潔さ◆

まず、ノーマン・マルコム『ウィトゲンシュタイン　天才哲学者の思い出』（平凡社ライブラリー）を参照しながら、ウィトゲンシュタインのことからお話ししましょう。

ルートヴィヒ・ウィトゲンシュタインは、一八八九年、オーストリア・ウィーンに生まれます。彼の父はユダヤ系実業家でした。彼は裕福な家庭で育ちました。

一九一二年、ウィトゲンシュタインはイギリス・ケンブリッジ大学へ渡り、哲学者ラッセルのもとで学びます。一九一四年に第一次世界大戦が勃発すると、彼は母国オーストリア軍に志願します。従軍中も著書の推敲をし続けていたとはいえ、彼は、哲学研究という狭い意味での哲学とは直接かかわりのない戦争という状況に身を置きます。

一九二二年、ウィトゲンシュタインは従軍中に推敲を重ねていた著書『論理哲学論考』

を出版します。この著書により哲学の問題は解決されたとして、彼は哲学の世界から離れ、故郷ウィーンへ戻り、小学校教員や建築家などの職に就くのです。

一九二九年、ウィトゲンシュタインはケンブリッジ大学での哲学研究の世界へ復帰します。同大学において、著書の『論理哲学論考』が博士論文として認められます。

一九三九年には、ケンブリッジ大学の哲学教授となります。

そして、一九五一年、がんのため死去します。

◆「生きることがそのまま哲学すること」という生き方◆

次に、シモーヌ・ペトルマン『詳伝　シモーヌ・ヴェイユⅠ・Ⅱ』（勁草書房）を参照しながら、シモーヌ・ヴェイユのお話をします。

シモーヌ・ヴェイユは、一九〇九年、ユダヤ系の家庭に生まれます。父は医師でした。兄のアンドレ・ヴェイユは数学者として有名です。ヴェイユは哲学者アランに師事します。

一九三一年、高等師範学校を卒業したヴェイユは高校の哲学教諭となります。しかし、一九三四年には高校を休職し、彼女は自ら進んで工場で働きます。低賃金で厳しいノルマを課される社会の底辺の人々の生活を知るためでした。また、一九三六年、スペイン内戦の勃発にともない義勇軍に参加します。

一九三九年、ドイツのポーランド侵攻に対するイギリス、フランスの宣戦布告により、第二次世界大戦がはじまります。ユダヤ系であるヴェイユ家族はそろってアメリカへの亡命を決めますが、ヴェイユだけは、祖国フランスで戦禍のなかにいる人々とともにありたいと、フランスに留まることを希望します。

一九四二年、ヴェイユはアメリカ経由でイギリスへ渡り、そこからフランスへ戻る計画を胸に、両親とともにアメリカへ渡ります。その後、両親と離れ、一人、イギリス・ロンドンへ渡ります。

そして、一九四三年、イギリスの地で、急性肺結核により病院へ運ばれます。しかし、栄養失調により亡くなります。一説によると、戦禍にある祖国フランスの配給と同じ量の食事しか口にしようとしなかったと言われています。

このように、シモーヌ・ヴェイユは、哲学教諭という社会的にも恵まれた立場に甘んじることなく、工場で働く人々や内戦や戦争を耐え忍ぶ人々とともにありたいと願い、またその願いに忠実に生きたのでした。

ウィトゲンシュタインとシモーヌ・ヴェイユの「人生における哲学の位置づけ」というものに、私はいつも考えさせられます。

二人にとって、哲学は大学でするものというよりも、**「生きることがそのまま哲学すること」**であったのだと私は考えています。

視点13

・

一歩先へ‥「使命」とは何かを考える

◆「使命」と仕事を重ね合わせてみる◆

ここでは、オーストリアの精神科医ヴィクトール・E・フランクル（一九〇五―一九九七）の「態度価値」という概念を導入して、「使命」について考えてみます。

なぜ、「使命」なのでしょうか。

なぜならば、「やりたい仕事（理想）」と「やりたくない仕事（現実）」を橋渡ししてくれるものこそが、この「使命」だと私は思うからです。

次のように問うたことはありませんか。

- 「やりたい仕事」をしている人だけが幸せで、「やりたくない仕事」をしている人は不幸せなのではないだろうか？

「やりたい仕事」をしている人は、その仕事と「使命」を重ね合わせることができます。

「自分の理想」を「実現する」という意味で、これを「自己実現」と言います。
では、「自己実現」できない人の人生は不幸せなのでしょうか。もしそうだとすると、多くの人の人生は不幸せということになってしまいます。

ここで、多くの人は「自分は不幸せだと思わない、思いたくない」と考えるでしょう。だからこそ、第一のステップで見たように、家族のために、欲しいものを買うために働くのだというような何かしらの「目的を達成するための手段としての仕事」という考えを設定するのではないでしょうか。

もちろん、家族のために働くというモチベーションは素晴らしいものです。誰かの幸せのために働くのですから。

しかし、この「目的を達成するための手段としての仕事」という考えは、どうしても自分の仕事を「やりたくない仕事でも、やらなければならないからやる」と見なすネガティブな視点から離れることができないように思うのです。

どうせなら、家族を幸せにしながら、自分をも幸せにするようなポジティブな視点を考えられないでしょうか。

そこで、「やりたくない仕事」をしている人も、**この「やりたくない仕事」と「使命」を重ね合わせることで、自分の仕事に意味を見出す**ことができるようになるのではないかと私は考えています。

「使命」についてゆっくりと考えてみることは、「やりたくない仕事」に対して新たな視点を与えてくれるはずです。

◆どうにもできない状況や運命の最中でどうするか◆

ここで新しく導入したい概念が、フランクル心理学の「態度価値」です。

「態度価値」とは、どうにもできない状況、変えられない運命（過去の出来事など）に対して、どんな態度を取るか、と私たちの態度が問われ、そして私たちのその態度によって生み出される価値のことです。（諸富祥彦『フランクル心理学入門』〔角川ソフィア文庫〕）。

私は、その状況や変えられない運命を引き受けて、そこから人生をどう創っていくかが問われます。

私が私の人生を生きていることに変わりありません。私の人生の主役は、私以外にはいないのですね。そして、私はいつも人生から、「どう生きるか」と「態度価値」を問われ続けています。

自分の望まない状況の中で、私の「使命」とは何かを考えるとき、フランクル心理学では、**「自己中心」ではなく「使命中心」と発想を転換**します。

つまり、「私が何をしたいか（自己中心）」ではなく、「人生が私に何を求めているか（使命中心）」を考えることがポイントになります。

苦しい状況、逆境に置かれてもなお、**「人生はこの状況下で私に何を求めているのか」を問い続けること**が求められるのです。

◆　私の「使命」を求め続ける日々　◆

ここでは、私自身の「使命」を求め続ける日々をお話しします。

現在、私は工場で働いているとすでに書きました。しかし、私が本当にしたかったことは、工場で働くことではなく、哲学の本を書くことや翻訳をすることだったのです。自分のやりたい理想（本を書くこと、翻訳をすること）と現実（工場で働くこと）との間に大きなずれがありました。

やはり葛藤がありました。ですが、そこで諦めたり、思い通りにいかないからと人生を捨てたりせず、将来の来《きた》るべき「使命」を私は待ったのです。

そして、私にとって望まない状況でも、その状況を来るべき「使命」のための糧にしようと思いました。**すべてを「使命」に吸収させる**のです。

そこで、現在の状況で私にできるベストを尽くそうと考えました。できることは、「使命」のための準備です。工場で働きながら、隙間時間を見つけて勉強を続けました。

まずここで私がしたことは、苦しい状況や逆境を生きつつ、「人生がその中で私に何を求めているか」を考え続けたことです。

人生の一瞬一瞬が、その都度、私に「どう生きるか」を問うてきます。

私はその問いに応《こた》えねばなりません。

次に、人生が投げかけてくる「どう生きるか」という問いに、私は「すべてを無駄にしない」という応《こた》えを出し続けようとしたし、今も出し続けたいと願っています。

すると、ある日、私にとって信じられないことが起こりました。ツイッター（現X《エックス》）で、哲学について呟《つぶや》いていた私に、本書の担当編集者になる方が、「新しく本を書きませんか」と連絡をくれたのです。編集者の方が私にくださったメッセージの一部は次のものでした。

「生身の体験から得る哲学のようなものを一冊にできたら、哲学に興味はあるけれども、遠い存在だと感じている人にとっての、素晴らしい水先案内になるのではないか。そんな構想を持っております」

このメッセージをもらったとき、本当に驚きましたし、何かの間違いではないか、と最初は思いました。と同時に、段々と時間が経つにつれ、涙が出そうになるくらいの嬉しさが込み上げてきました。

これこそ来るべき「使命」のひとつであると、私は執筆依頼を喜んでお引き受けすることにしたのです。

◆強制収容所でフランクルを支えたもの◆

さて、本章で取り上げたユダヤ人のフランクル自身、第二次世界大戦中、ナチスの強制収容所で、生きて還《かえ》ることなど想像もできないほどの過酷《かこく》な日々を過ごしました。ヴィクトール・E・フランクル『夜と霧　新版』(みすず書房)から、強制収容所での日々の様子を引用してみます。

収容所暮らしが何年も続き、あちこちたらい回しにされたあげく一ダースもの収容所で過ごしてきた被収容者はおおむね、生存競争のなかで良心を失い、暴力も仲間から物を盗むことも平気になってしまっていた。そういう者だけが命をつなぐことができたのだ。(『前掲書』)

このような生存競争にさらされる強制収容所、そこに入った人々（被収容者《ひしゅうようしゃ》）はまず収容所の状況にショックを受け、そして数日後には、人々は感情を失っていくのだそうです。フランクル『夜と霧』からの引用を続けます。

そこ（引用者註：診療所）に十二歳の少年が運びこまれた。靴がなかったために、はだしで雪のなかに何時間も点呼で立たされたうえに、一日じゅう所外労働につかなければならなかった。その足指は凍傷《とうしょう》にかかり、診療所の医師は壊死《えし》して黒ずんだ足指をピンセットで付け根から抜いた。それを被収容者たちは平然とながめていた。嫌悪も恐怖も同情も憤《いきどお》りも、見つめる被収容者からはいっさい感じられなかった。苦しむ人間、病人、瀕死の人間、死者。これらはすべて、数週間を収容所で生きた者には見慣れた光景になってしまい、心が麻痺《まひ》してしまったのだ。（『前掲書』）

このような死と隣り合わせの強制収容所の日々で、フランクルも何度も心を倒しそうになったことでしょう。そんな彼を支えたもののひとつが、準備していた本（学術書）の執筆でした。この過酷な状況から生きて還り、自身の本を世に問うのだという気持ちが彼を支えたのです。

強制収容所に入る際、大事に持参していたその本の原稿はナチスに取り上げられてしまいます。しかし、収容所においてもなお、彼は、仲間が用意してくれた紙に速記用の記号で原稿を再現しようと試みます。気迫というものでしょうか。

◆どんな些細な事でも「使命」の糧にする◆

ここで、先ほどの問いを再び取り上げます。

・「やりたい仕事」をしている人だけが幸せで、「やりたくない仕事」をしている人は不幸せなのではないだろうか？

フランクルのような生死にかかわる過酷さではないにせよ、「やりたくない仕事」をするうえで、自分の労働に賃金以外の何の意味も見出せないのは、本当につらいことだと私自身の経験からも感じます。その労働の無意味さに身を置き続けると、やがて「絶望」が生まれ、自分のなかの生きる気力が失われていきます。

ですから、どんな仕事をするにせよ、自身を支えるモチベーションがあることは大事だと思います。そして、**そのモチベーションこそ、自分の「使命」とは何かを考えることで生まれる**と思うのです。

どんな状況においても、
来るべき「大きな使命」のために準備をすること。
またそのために、
どんな些細な仕事も、
そのときに与えられている「小さな使命」と見なし、
大切にすること。

言いかえれば、その「小さな使命」の先に、より「大きな使命」を見据《みす》えることが求められるのではないでしょうか。

先ほど紹介した仕事のできる先輩の話のように、絶えずヒントになるものはないかと探している私にとって、工場での日々はまったくの無駄ではなく、貴重な体験の場、学びの場となったのです。

そして、ここに言い添えておきたいことがあります。それは、私が工場や福祉の仕事を下に見て、そこから脱却しようとしている、ということではないのです。

それらの仕事に、私自ら従事することを通して、私はそれらの仕事の大変さ、社会における役割とその重要さを学んだのです。その学びなく、ストレートに執筆や翻訳の仕事をしていたら、それこそ私はそれらの仕事を見下す人間になっていたことでしょう。

街で見かける働く人たち、たとえば、交通誘導員さん、配達員さん、コンビニの店員さんなど、そのようなスポットライトのあたりにくい人たちがいます。彼、彼女らも、今日を生きているんだ、がんばっているんだ、社会を支えているんだ、そして、私も、彼、彼女らのうちの一人だ、私はそう思えるようになりました。

みんなそれぞれに「使命」を抱いて生きているのです。

また、私の本書出版の話は単なる成功ストーリーではないのですね。この本を書き終えてもなお、私は次の「使命」を求め待ちつつ、再び執筆や翻訳以外の仕事に戻るからです。

そして、執筆や翻訳以外の仕事に戻っても、その現場で、私は私にしかできない仕事を創るでしょう。そのような仕事が私の**「小さな使命」**なのです。工場や福祉の仕事をしていたとき、「関野さんがいないと困る」と上司や同僚に言ってもらえたことが、私にとって何より嬉しく、「やりがい」をもたらしてくれました。

たとえ無駄に思える日々でも、一瞬一瞬を大切に生き、その日々を活かすことができたなら、その日々は来るべきさらに**「大きな使命」**を準備する糧となり、結実すると私は信じています。

第五章

病むということ

視点14

・

病気のイメージを考え直してみる

病むという体験はマイナスなのか？

本章では、ここまで何度も言及してきた私自身の躁うつについて、私はこの病気をどう考えてきたのかをお話ししたいと思います。**哲学することで、私はこの病気を肯定したいと模索してきました。**ですから、第一章で述べたように、病気に悩むのではなく、病気とは何か、病気の意味とは何かを考えていきます。

ではまず、次の質問からはじめましょう。

あなたは病んだ経験はありますか？

風邪でも何でも結構です。病気になったことはありますか？

この病気になるという、誰しも多かれ少なかれ持っている経験を、あなたはどうとらえているでしょうか。

病気になることは、どこかマイナスのイメージはありませんか。この病気に対するマイナスのイメージについて、なぜ私たちはそう感じるのかを探ってみましょう。

まず、健康であることが正常な状態で、病気になることはその健康の欠如と考えられるのではないでしょうか。

たとえば、風邪をひけば、学校や会社を休まなくてはならないですよね。普通にできていたことができなくなるという見方をすれば、風邪はマイナスでしかありません。風邪などひかないほうがよい。毎日の健康管理をしっかりと行っていれば、風邪などひかない。風邪をひくのは、この健康管理ができていないからだ。こういった見方も、健康管理の欠如という意味で、マイナスです。

風邪をひいて学校や仕事を休めば、学生ならば勉強が遅れますし、社会人ならば仕事が溜まります。まして、仕事が溜まり遅れれば、周囲の同僚や取引先にも迷惑をかけることになります。

風邪をひくという経験を、こうして簡単に見ただけでも、どうやらプラス面よりもマイナス面の方が多いようにも見受けられます。そして、このような風邪のマイナス面という見方に、私たちはどっぷりと浸《つ》かっているとも言えないでしょうか。

しかし、風邪をひくことによって、得られること、つまりプラス面もあるのではないでしょうか。

◆風邪をひいて得られることを考えてみよう◆

風邪をひくことによって、わかることはありませんか？

たとえば、健康の有り難みですよね。風邪は私たちに健康の有り難みを教えてくれます。健康が普通であり、その健康が空気のようにあって当たり前となり、私たちは段々とその健康の有り難みが見えなくなりがちです。

学校に行って勉強できる有り難み、会社に行って働ける有り難み、このような有り難みは、風邪をひいて熱を出して寝込み、苦しい思いをすることによって、改めて実感できるのではないでしょうか。

風邪をひくことで、今いちど、私たちは健康であることが普通ではなかった、当たり前ではなかったと気づくことができます。

このように、風邪というものを**いちど振り返って考える**ことによって、風邪の**マイナスのイメージをプラスのイメージに切り替える**ことができるのです。

思い込みによって、風邪はよくないことだと決め込んでしまいがちですが、私たちは風邪に教わることもあるのです。つまり、風邪のプラス面の発見ですね。

◆ 病死：病に負けたのか？ ◆

病気を、風邪から、たとえば命にかかわるような病気にまで、もっと広くとらえてみましょう。

私たちは、事故死や老衰というもので人生を終えることもありますが、それらの死因はここでは横に置きます。病死ということに限定して、話を進めてみます。

多くの人が、病気によって人生を終えます。つまり、病死ですね。

もし病気を克服できなければ、**多くの人は人生の最期《さいご》において、病気に負けたことになるのでしょうか。**負けることによって、人生を終えると考えることは、どこか寂しくないでしょうか。

何十年も生きてきた人が病気によって亡くなったとします。この人の死は、病気への敗北と見なされるのでしょうか。

人の死は、人生最後の大事な締めくくり、集大成《しゅうたいせい》であると私は考えています。

私はそのように考えますので、たとえ人が病気で亡くなったとしても、その病死をその人の敗北とは見なしたくはありません。「素晴らしい人生と最期でした。お疲れ様でした」、そう言って、私はその人の集大成を心の中で拍手し労《ねぎら》い、送り出してあげたいのです。

私たちはいずれ死にます。

もし私たちが何らかの病気で死ぬとしたら、と考えてみましょう。この病死は私たちにとって敗北、すなわち、病気は悪いことと言い切れるでしょうか。

病死が敗北ではないように、病気自体も悪いこととは私には思えないのです。

視点15・

「闘病」という言葉を考えてみる

闘病：病とは闘うものなのか？

「闘病生活」という言葉がありますね。たとえば、がんなどを患った際に、その痛みに打ち克ち、がんを克服するための闘い、健康を取り戻すためのがんとの壮絶な闘いという意味でよく使われる言葉です。

しかし、私はこの「闘病」という言葉に違和感を覚えるのです。なぜなら、病気は闘うものではないと私は思っているからです。

どちらかと言うと、たとえそれが痛いもの苦しいものであっても、人間と病気は「共存」するもの、一緒に生きるものだと**私は考えたい**のです。

病気は私たちに様々なことを教えてくれます。

時に、病気によって、人生が思い通りにいかないという経験もするでしょう。病気によって、やりたかったことを諦めなければならないこともあるでしょう。そのように病気によって、私たちは手放さなくてはならないことも多くありますが、同時に、病気によって、私たちは気づくこともあります。

精神科医のエリザベス・キューブラー・ロス（一九二六―二〇〇四）とホスピス・ケアの専門家デーヴィッド・ケスラー（一九五九―）の共著『ライフ・レッスン』（角川文庫）という本があります。この本の中で、人が死に直面した際、実に多くの生のレッスン、つまり、生きることについての学びをすると書かれています。

デーヴィッド・ケスラーは次のように書いています。

生がもっともはっきりみえるのは、死の淵に追いやられたそのときだからだ。（『前掲書』）

たとえ、死という望まない、望みたくもないものをもたらす病気であったとしても、その病気が私たちに生きることについて多くのことを教えてくれます。人は健康に生きているときよりも、病気によって**死に直面したときの方が、生きているということの意味を深く味わうことができる**のではないでしょうか。

しかし、このことは、「実際に死に直面せよ」ということではないのですね。そうではなく、健康な今のうちでも、私たちは死というものを考えることができます。死を考え、人間は有限な存在であると知り、「私はいつか死ぬ」と改めて自覚します。そして、いつかやってくる死から逆算して、人生や生き方を私たちは問い直すことができるのではないでしょうか（この点は、「善く生き、善く死んでいくということ」と題して、第七章で改めて詳述します）。

私たち人間は想像することのできる動物です。この**想像力を豊かにする**ということが、死を考えるうえで大切であると私は考えます。

◆　賜としての病？　◆

私は二〇一〇年（三十二歳）より、躁うつを患っているとすでに何度も書きました。**私は、自身のうつという病気を賜《たまもの》、与えられたものとして考えたい**と思っています。

二〇一〇年からですから、もう十年以上、私はこの病気と付き合っています。つまり、「共存」しているのですね。

確かに、病気になった当初は、「なぜ自分が」という思いでした。なぜ私がこの病気にならなければいけないのかと納得がいきませんでした。現在でも、苦しくつらいときもあります。「この病気がなければ……」、そう思うこともあります。それは否定できません。

発症当時は、うつ症状で体は重く、頭が締めつけられる。思考力は低下する。心も体も動かない。何もする気が起こらない。廃人《はいじん》とは、こういうことを言うのかもしれないと思い至りました。

何もかもがおっくうになり、日常の歯磨きや入浴さえできなくなりました。健康なときは、何の努力もなしに行っていた歯磨きや入浴すら、心も体も動かないときにはできなくなるのですね。

そして、発症してから五年後、趣味のように好きだったフランス語の翻訳の仕事も辞めざるをえないほど、心も体もどうしようもない状態になっていました。

病気になることは、いろいろなことを、ひとつずつ諦めていくこと、手放していくことなのだと思い知りました。私はずいぶんと自身の病気を恨み、憎みました。

しかし、それから数年後、自分に合う薬に出会い、少しずつ健康を取り戻してきた頃、自身のうつという苦しみを賜、与えられたものと私は思いたいという気持ちに徐々になってきたのです。

というのも、同じ病で苦しんでいる人の気持ちが、私にもわずかなりとも理解できるようになっていることに気づいてきたからです。自ら病を体験することが、同じ病で苦しむ人の気持ちを理解する近道なのかもしれません。

同じ病で苦しむ人の気持ちを勉強するためだったと思えた瞬間、私にとってのうつは人生を狂わせた憎い敵ではなく、人生というもの、他者の痛み、苦しみというものを教えてくれた教師となったのです。

ですから、うつは賜、与えられたものと**私は思いたい**のです。

視点16・「パースペクティブ」という概念を用いてみる

◆「パースペクティブ」：視点を変えれば見え方は変わる◆

ここでは、ニーチェ（一八四四―一九〇〇）の用いた「パースペクティブ」という概念を通して、病、または病気というものをさらに考えてみましょう。

パースペクティブとは、もともとは、絵画で用いられる遠近法のことです。「視点の変化によって、見えるものも変化する」ことを言います。

たとえば、窓から景色を眺めてみてください。近くにある建物は大きく見え、遠く離れた山は小さく見えますね。実際は、山は建物より大きいですが、それは、山が建物よりも見る人から遠い位置にあるため、小さく見えるのです。

また別の例を挙げれば、目の前にコップがあるとします。真横から見たコップと真上から見たコップでは、同一のコップですが、見え方はもちろん違います。

これを、パースペクティブ、つまり「視点の変化によって、見えるものも変化する」と言います。

さらに、ここまで論じてきたような病気というものをパースペクティブの観点から考えてみましょう。

この病気は、私たちにとって、良いものでしょうか、それとも悪いものでしょうか。

パースペクティブの考えにしたがうなら、病気自体は良いものでも、悪いものでもないというのが私の考えです。

病気は見る人の視点によって、その姿を変えます。ある人にとっては、克服すべき病魔ですし、またある人にとっては、生きるとは何かを教えてくれる教師なのです。

◆ニーチェは病んでいたのか健康だったのか?◆

私たちは、ニーチェのパースペクティブという概念に触れましたので、次にニーチェ自身は病気というものをどう考えていたのかを見てみましょう。

哲学者の清水真木はその著書『ニーチェ入門』（ちくま学芸文庫）において次のように書いています。

ニーチェは、病気とは何か、健康とは何か、そして両者を隔《へだ》てるものは何か、このような問題に重要な位置を与えます。もっとも、それは当然のことでした。ニーチェは、このような問題に否応《いやおう》なく向き合わざるをえない立場に置かれていたからです。ニーチェは、その人生の少くとも半分は、紛《まぎ》れもない病人だったのです。（『前掲書』）

この箇所を読んだとき、私自身のここ十数年の人生が思い浮かびました。私も「紛れもない病人」でしたから。私も、自分自身にとって、病気とは何かを考えざるをえませんでした。

ところで、周囲から見れば明らかに病人だったニーチェですが、清水によると、ニーチェは自身を病人ではなく、健康な人間と見なしていたようです。

なぜでしょうか。ニーチェは病気を患っていても、なぜ自身を健康な人間と見ていたのでしょうか。大事な部分ですので、『ニーチェ入門』からの引用を続けます。

（引用者註：ニーチェにとって、）健康とは、本能の健康を意味し、病気とは、本能が病んでいる状態を意味することになります。病気と健康との差異は、身体に対する態度、あるいは本能の差異なのであり、身体の病気は本能の病気の反映に過ぎません。（中略）したがって、本能が健康であり、認識が健康であるかぎり、身体の状態がときとして良好でなくても、健康な人間と見做《みな》されるべきであるということになります。ニーチェは、この意味において自らを健康な人間と呼んでいるのです。

（『前掲書』）

ここでの「本能」とは、清水によれば、「身体に対する態度を決めるもの」です。ここでの「態度」、「本能」、「認識」という言葉は同義で用いられています。

病気が良いものか、悪いものかを決定するのは、病気に対する**「態度の差」**なのです。私たちが病気を良いととらえれば病気は良いものですし、悪いととらえれば悪いものになります。

ですから、**身体の病気自体というものはそもそもなく、**「態度」や「認識」が病んでいるときにのみ、その人は病気なのです。

言いかえれば、その病んだ「態度」や「認識」の現れこそが文字通りの病気なのです。この現れを、清水は「反映」という言葉で表現しています。

したがって、私の「態度」や「認識」が健康である限り、他者から見て私の身体がいくら病的な状態にあろうとも、それは私にとっては病気ではないのです。もっと言えば、それでも私は健康な人間と言い切れるのです。

◆心身の状態に対する態度を変えてみる◆

私自身は、うつを患いはじめてからのここ十数年、自他共に認める病人でした。私の場合は、健康人間ニーチェとは異なり、「態度」も「認識」も病んでいたと言わざるをえません。

自身が病気であるかどうかは、身体に対する「態度」や「認識」次第ということが、ニーチェの考え方でした。

私の場合にも、やはり身体に対する「態度」や「認識」に変化が起こり、自身を病人から健康な人間へと、わずかではありますが、変化させるに至りました。身体上は相変わらずうつという症状を持っているにもかかわらず、です。

そのきっかけになったものが、先にも述べた通り、同じ病で苦しむ人の気持ちが少なからずわかりはじめたという体験でした。つまり、私は病から学んだのです。

身体に現れている病気を私はどのように見なすのか。

言いかえれば、**自身の気づきが加われば、病気の見方も変わる**のです。

◆ 自然としての身体観と病気観？ ◆

それでもやはり、次のような声が上がるでしょう。

・病気の見方が変わると言われても、やはり痛くて苦しい病気は嫌だ
・そんな風に、私は強くないし、病気を肯定する気になれない
・激痛をともなう難病にかかってみよ。「病気と共存する」などと格好つけているが、お前は本当に難病の激痛を肯定できるのか？

このようなご意見は仰る通りです。
私も強い人間ではありません。自身の病気を肯定したいと思いながらも、病気の苦しさから逃げ出し、解放されたくなります。できることなら、解放されるのがいちばんよいとさえ思っています。それに、難病による激痛は、私は実際に経験したこともありません。

しかしながら、本章で得ることのできた大切な点は、ニーチェの箇所で言及した**「病気自体というものはない」**という視点です。それはつまり、病気を、私たちが良い悪いと意味づけする以前の、**「自然の流れのひとつ」としてとらえられないか、**ということです。

当然のことながら、病気には先天的なものと後天的なものがあります。先天的な病気に罹患している方々の大変さを思うと、私もかける言葉が見つかりません。

それでも、あえて思考を前に進めるために、もう少し考えてみます。後天的なものに限って、また生活習慣病という狭い範囲で考えます。

生活習慣病という名にもあるように、私たちの習慣や環境によって与えられるストレスによって発症する病気があります。

そこで次のように考えることはできないでしょうか。

本来、私たちの身体は自然の一部であり、自然の流れのなかで生きています。しかし、習慣や環境によって、身体が自然の流れに反してしまったがゆえに、身体が自然に戻りたいと反応するものが病気の現れである、とも考えられるのではないか、と。

言いかえるなら、もし現れた病気が「身体が自然に戻るための反応」であるとするなら、病気というものも、この「自然の流れのひとつ」ではないか、ということです。

人間の身体が自然の一部であるなら、常に身体は自然の流れに身をまかせようとします。人間の身体はこの流れにそっていて、自ら逆流しようとはしません。身体を逆流させているのは習慣や環境なのではないか、ということです。

この身体の自然の流れ、身体が元の状態に戻ろうとする力を自然治癒力と言うのではないでしょうか。

また、身体を自然の流れとして考えるならば、たとえば最終的に人間が死ぬときに「息をひきとる」ということも、実は自然の流れ（自然の力）なのかもしれない。つまり、人間は死ぬときに、自分の意志で「息をひきとる」ことはできないのかもしれません。

このように、私たちの身体を「自然の流れのなかにあるもの」と考えてみることも、病気に対する新たな視点をもたらしてくれるのではないでしょうか。

第六章

宗教を信じるということ

視点17・現実の問題に目を向ける：ひとつの宗教を選ぶとは、どういうことか？

宗教に対するイメージ

本章では、私が二十歳から考え続けてきたライフワークと呼んでもよい、宗教の問題を紹介しながら、「宗教を信じること」について一緒に考えてみます。

まず宗教と聞いて、あなたはどんなイメージを抱くでしょうか？

新聞やテレビの報道で、見たり聞いたりする宗教と言えば、海外では、イスラム教スンニ派過激派組織ＩＳ（イスラム国）によるテロ事件を思い浮かべる人もいるかもしれませんね。国内では、一九九五年のオウム真理教による地下鉄サリン事件、最近では、旧統一教会による一連の問題（巨額の献金や霊感商法、信仰の二世問題など）が記憶に上るのではないでしょうか。

これだけを見ると、宗教と呼ばれるものには、怖い、怪しいなど、あまりよいイメージがないかもしれません。

オウム真理教や旧統一教会を「宗教の仮面をつけた団体」とするならば、イエスや釈尊、マホメットなどの偉大な人物の教えを引き継いだ「本物」と呼べる宗教ももちろんあります。

宗教について学べる、私が大好きな漫画に、中村光『聖《セイント》☆おにいさん』（講談社）があります。本書はイエスとブッダ（釈尊）が現代の日本に来たらどうなるかという設定のもと、神と仏の最強コンビがおくる「日常聖活」がカジュアルかつコミカルに描かれています。丹念に調べられた二人の教えと生涯のディテールを笑いながら学ぶことができますのでお勧めです。

◆宗教は多くの日本人にとって身近で、縁遠い◆

さて実は、宗教は私たち日本人のほとんど意識をしていない部分、つまり習慣、伝統、文化の中にも息づいています。

日本では、お葬式は仏式（仏教）、結婚式は神式（神道）、もしくはキリスト教式を選ぶ人が多いと思います。また、私たちの一年は初詣にはじまり、お盆を迎え、クリスマスを祝い、除夜の鐘で一年を終えるという意味でも、宗教は私たちの生活に浸透しています。

しかし、現代日本人にとって、特定の宗教を信仰するということ、たとえばキリスト教の神を信じることは、自分にはあまり関係のない、縁遠い世界のことだと思う人が多いかもしれません。

八百万《やおよろず》の神々が住まう国で、その神々と共に生活を営んでいる多くの日本人にとって、必ずしも特定の宗教を信仰する必要はないのかもしれません。

ところが、海外の人たちと接する機会が増した現代において、神を信じる人たち、たとえばキリスト教徒やイスラム教徒の友達ができる可能性もあります。私の場合は、工場の職場で、休憩中に礼拝をするイスラム教徒の同僚がいました。

そんな信仰をもつ海外の人たちと相互理解を深めるうえでも、宗教面だけ避《さ》けて通るということはしにくいでしょう。なぜなら、彼、彼女らの信仰は、物の考え方、生き方と密接に結びついているからです。

このような特定の神を信じる人たちを理解しようとするとき、「宗教を信じるということ」がどんな営みであるのかを考えてみるのも一案です。

では、人が実際に宗教を信じる、神を信じるというとき、それはどんな行為であり、どんな問題が生じるのでしょうか。

◆どちらが正しい？：教えが食い違うとき◆

世界には多くの宗教が存在し、それぞれが、それぞれの教えを、時代や場所によって変わることのない正しいこと、つまり真理として主張しているように見えます。少し勉強してみると、似たような教えもありますが、どう考えても互いに相反するような教えもあるようです。

しかしながら、本来は、自身の心の安らかさや人の幸せを祈るはずの宗教同士が、祈りの対象が違うから、教えが違うからという理由のみで、互いに憎しみ合うという現実に、二十歳の私は悲しみを感じました。

以来、宗教間の対話（以下、宗教間対話）のために、何かできないかと私は考え続けてきました。ですから、この宗教の問題は私の生涯のテーマでもあります。

さて、ひとつの宗教を選び取るということは、その宗教の教えを正しいと見なすこと、つまり真理として信じることになります。信じること、簡単に言えば、これが信仰です。

では、私の信じる宗教の教えとその他多くの宗教の教えとが相反した場合は、どうしたらよいのでしょう。ひとつの宗教の信仰を選び取り、その教えを真理として信じるとき、その他多くの宗教の教えを否定することになるのでしょうか。

すでに第二章で提示したように、それは次のような問いとしてまとめることができます。

・なぜ世界にはこれほど多くの宗教が存在し、それぞれの真理を主張している（ように

見える）のだろうか？

- ひとつの宗教の信仰（真理）を選び取るということは、他の宗教の信仰（真理）を否定することになるのだろうか？
- もし、ひとつの宗教の教え（真理）が正しく、その他多くの宗教の教え（真理）が間違っているとするならば、その他多くの宗教の信仰者は、生涯をかけて間違ったことを真剣に信じているということになるのだろうか？

以下では、これらの問いをどのように私が考えてきたのかをゆっくりとお話ししていきたいと思います。

視点18・宗教多元主義という考え方を知る

◆ 頂上はひとつ：登る道は宗教ごとに異なっても ◆

私は、宗教の多様性を山の登山道にたとえたいと考えています。**上る道（宗教）は様々でも、頂上（真理）はひとつ**であることと似ているからです。上る道は異なり、その道から見える景色は異なっても、すべての道がただひとつの頂上へと通じているという考え方です。このような考え方を**宗教多元主義**と言います。

遠藤周作の『深い河』の登場人物の一人に、カトリックの神父の資格を持つ大津がいます。彼はインドの貧民街に寝起きしながら、日中は街で行き倒れになった（他宗教徒である）ヒンドゥー教徒の人たちを河のほとりの施設へ連れていき、また、息をひきとった人は火葬場へ運んでいました。遠藤はその大津に次のように言わせています。

> 神は色々な顔を持っておられる。ヨーロッパの教会やチャペルだけでなく、ユダヤ教徒にも仏教の信徒のなかにもヒンズー教の信者にも神はおられると思います。
>
> （『前掲書』）

ぼくは玉ねぎ（引用者註：イエス）の存在をユダヤ教の人にもイスラムの人にも感じるのです。玉ねぎはどこにもいるのです。（『前掲書』）

宗教多元主義とは、それぞれの宗教が主張する真理を等しく認めたうえで、**相互理解のために**対話を行おうとする立場です。

宗教多元主義を提唱《ていしょう》するジョン・ヒックに『神は多くの名前をもつ』（岩波書店）という著書があります。この書名が示しているように、様々な宗教で神と呼ばれる存在は実は唯一の存在であり、宗教の数だけ神は異なった名前をもつと考えられます。

次は、同じく遠藤周作『深い河』における、神学校の指導司祭（司祭）と大津とのやり取りです（引用者註：司祭と大津の言葉の冒頭に、それぞれ「司祭」、「大津」と記します）。

司祭「では正統と異端の区別を君はどこでするのかね」
大津「今は中世とちがいます。他宗教と対話すべき時代です」
司祭「もちろん法王庁もそれを認めておられる」

大津「でも基督教《きりすときょう》は自分たちと他宗教とを対等と本当は考えておりません」（中略）
大津「他の宗教の立派な人たちは、いわば基督教の無免許運転をしているようなものだとあるヨーロッパの学者がおっしゃっていましたが、これでは本当の対等の対話とは言えません。ぼくはむしろ、神は幾つもの顔をもたれ、それぞれの宗教にもかくれておられる、と考えるほうが本当の対話と思うのです」

（『前掲書』）

「正統と異端の区別」とは、宗教の教義上の問題で、正統な教義に対してそこから逸脱《いつだつ》した考え方を異端として排斥《はいせき》します。たとえば、キリスト教において、イエスは神の子であるという教義が正統なら、イエスは私たちと同じ人間であるとする考え方は異端になります。

そして、「基督教の無免許運転」とは、こちらもキリスト教を例に取ると、たとえば、イエスを真の救い主であると知ることによってのみ人は救われるという考えを絶対視するあまり、その他の宗教では救われないとする考えが生まれます。

すると、たとえ他宗教の人格者であっても、キリスト教の救いのいちばん肝心なことを知らずにいる状態と見なされます。その理由で、その人格者はキリスト教の免許証を持たずに、あたかも無免許運転をしているに等しいという見方をされてしまいます。

◆ 他宗教を理解しようとする際の三つの態度 ◆

宗教学者の岸根敏幸はその著書『宗教多元主義とは何か』（晃洋書房）のなかで、自分の信仰する宗教以外の宗教を人が理解しようとする際の三つの態度をまとめています。

（一）排他主義　（二）包括主義　（三）多元主義

まず、（一）排他主義、これは、自分の信じる宗教だけが絶対に正しく、残りの他の宗教は誤りであると考えます。**他は認めない**という立場です。この立場ですと、宗教間対話は最初から成立しません。

次に、（二）包括主義、これは、他の宗教を認めて理解を示しますが、常に自分の信じる宗教を軸にして、他の宗教の存在意義をとらえようとする立場です。自分の宗教を信仰するうえで、**他の宗教は自分の信仰の補足**であると見なします。包括主義にも幅《はば》がありますが、極端な立場になると、いずれ自分の信じる宗教が、残りの他の宗教を吸収、包括していくと考えます。この立場でも、まだ宗教間対話は成立しません。

最後に、(三)多元主義、これは、自分が信じる宗教とは独立に、**他の宗教の存在意義を認めようとする立場**です。この立場になってはじめて宗教間対話が成立します。しかし、ここで問題となるのは、諸宗教がそれぞれ主張する「真理」をどのように見なすべきかということです。

◆ それぞれの「正しさ」がぶつかり合うとき：教義の変更か深化か ◆

ジョン・ヒックによれば、宗教間対話は、各宗教に神学的な「小変革」(『神は多くの名前をもつ』)をもたらすと言います。つまり、他宗教との出会いによって、各宗教は「神学的な反省期に立ち至っている」(『前掲書』)と言うのです。

「神学的な反省」というのは、諸宗教がそれぞれ主張する「真理」がぶつかり合った場合、自分の宗教の教義は本当に正しいのかと反省することです。この反省を突きつめると、教義自体を変更するべきかという問題にまで及びます。

ジョン・ヒックによれば、最初に宗教に「変革」を求めたのは、**科学の発達**でした。天動説から地動説を認めるに至ったように、宗教的世界観は科学的世界観といかに調和するかが問題となったのです。

同様にして、次に宗教に対して「小変革」を求めてくるのは、**グローバル化した世界における諸宗教**です。つまり、宗教に「小変革」を求めるのは他の宗教の存在ということになります。

私なりの考えを述べるなら、（問題の内容と教義にもよりますし、一概には言えない、非常にナイーブで難しい問題ではありますが）各宗教の教義自体の安易な変更は行き過ぎであると思います。それぞれの宗教の教義は長い歳月をかけて議論され、打ち立てられてきた伝統があり、他宗教の教義と折り合いがつかないからという理由のみで簡単に変更すべきものではないと現在のところ私は思っています。

各宗教が持つ独自の教義には、「深い意味」が宿っています。ですから、教義自体を変更するのではなく、教義の解釈を深める努力、教義の意味を掘り下げる努力をすべきではないかと私は考えています。

教義の解釈を深めるとは、次のような試みのことです。宗教間対話の議題として、この世界で起こる諸問題を諸宗教が一致協力して解決していこうとします。その際、各宗教はその諸問題に対してどのような態度表明、解決策の提言をしていけるかと、各々の教義を元に考えます。

教義が各宗教のバックボーンであるならば、世界で起こる諸問題への態度表明と解決策の提言は、各宗教のバックボーンを解釈しながら現実問題へと応用していく試みと言えるでしょう。

宗教間対話では、諸宗教がそれぞれにもつ「真理」の妥当性を認め、**諸宗教が互いに影響し合い、学び合うことが求められている**のです。つまり、**憎しみ合うのではなく、互いに成長し合うのです。**

次節からは、ウィトゲンシュタインは宗教をどのようにとらえていたのかを見ていきます。彼の視点は、宗教間対話はいかにして可能かという問題を考えるうえで有益です。

視点19

・

「文法」と「生活形式」という概念を用いてみる

科学の言葉、宗教の言葉

ウィトゲンシュタインは、「言葉はどのようにして意味をもつか」という問いを立て、生涯にわたって言語を通して哲学の問題を考えました。これをウィトゲンシュタインの言語哲学と呼びます。

実は、ウィトゲンシュタインは、主要著作である『論理哲学論考』や『哲学探究』（講談社）では宗教を直接的な主題として扱っていません。

彼の著作の中で言及があるものは、『論理哲学論考』において、「神」、「魂」、「謎」、「神秘」についての言葉が見られるのみ。

そして、「宗教的信念についての講義」において、宗教の言葉の問題に直接言及しているくらいなのです。

ですから、ウィトゲンシュタインならば、彼の言語哲学の中で宗教の言葉をどのように位置づけただろうかという推測の範囲を出ないことになります。しかし、この推測は同時に、彼の言語哲学を宗教哲学へ拡張、応用しようとする試みでもあります。

実際に、彼の言語哲学は宗教哲学へと応用されてきました。特に、彼の考えた「文法」、「生活形式」、「言語ゲーム」という言語哲学の概念をめぐって哲学者や神学者が議論しています。


ウィトゲンシュタインは「言葉の意味」というものに非常に敏感な哲学者でした。たとえば、「宗教的信念についての講義」では、科学の言葉と宗教の言葉の意味の違いを指摘しています（『ウィトゲンシュタイン全集10』）。

言葉が意味を有する場合を有意味、意味を有さない場合を無意味と表現するならば、**「神」という言葉は、科学においては無意味**なのです。というのは、「神」はペンや机のように実際に手で触れることのできないものですので、科学では扱えず、ゆえに無意味となります。

しかし、**「神」という言葉は、宗教においては有意味**なのです。「神」を心の拠《よ》り所として人が生きることは十分にあることですから、宗教においては、「神」という言葉は意味をもちます。

したがって、同じひとつの「神」という言葉ですが、その**言葉がどの領域で使用されるかによって、有意味にも無意味にもなる**のです。

◆宗教の「文法」：言葉の使い方◆

ウィトゲンシュタインの言語哲学において、この領域の違いを示すものが「文法」の概念です。

哲学の面白いところは、新しい概念を生み出すことによって、問題を整理し見えやすくすることができるところです。ウィトゲンシュタインの「文法」の概念もそのような役割を担っています。

さて、文法と聞くと、英語の文法など語学学習を思い浮かべる人もいるでしょう。実際に、この概念の発想は言語から来ています。たとえば、日本語には日本語特有の文法があります。同じく、英語には英語特有の文法がありますね。

科学には科学特有の「言葉の使い方」があるという意味で科学の「文法」、同様に、宗教には宗教の「文法」があります。

先ほど見たように、「文法」の概念はまず、言葉がどの「領域」で使用されるかという観点を、次に、言葉の「使い方」という観点を提示してくれます。「領域」と「使い方」のふたつの観点です。

では、一歩進めて、「経験」という言葉の「文法」について考えてみます。

日常的に、私たちはどのような場面で「経験」という言葉を使用しているでしょうか。たとえば、「フランスに行ったことはありますか？」という疑問文は、「フランスに行った経験はありますか？」という意味ですね。

実際に、行為をしたことがある、体験したことがあるなどの意味で、「経験」という言葉は使用されます。この場合、「○○した経験がある」と言うと、確実で揺るがない、動かしがたい事実と同義で使用されます。

では、「宗教的経験」という場合はどうでしょうか。「私の宗教的経験」と言われると、途端に、確実で揺るがない、動かしがたい事実というニュアンスは影をひそめてしまわないでしょうか。

この場合の「経験」は、たとえば、神に祈ったときの心のなかを描写したものとして、その祈った人にしかわからない秘密やプライベートなこと、などのニュアンスが出てきます。「私の宗教的経験」と言われた瞬間に、「経験」という言葉の意味は、私以外の他者に対しては、あたかも閉じられてしまうかのようです。

以上、「経験」という言葉の「文法」を考えてみました。このように、**同じ言葉でも使用される「領域」、「使い方」が異なれば意味が変わる**のです。

◆人間同士の理解に必要な、共通の「生活形式」◆

ウィトゲンシュタインの言語哲学において、「文法」の概念は言葉が使用される「領域」や言葉の「使い方」に注意を促すものでした。

この「文法」をウィトゲンシュタイン自身が発展させたものが「生活形式」の概念です。ウィトゲンシュタインは次のように述べています。

ある言語を想像するとは、ある生活の形（引用者註：生活形式）を想像することなのだ。（『哲学探究』）

「文法」から「生活形式」へと概念が発展することで、言葉が使用される領域がぐんと広げられています。「生活形式」では、人間が実際に生活を営む場面に焦点が合わされているのです。言うなれば、「生活形式」とは、コンテクスト（文脈、背景）のことです。たとえば、別々の言語を話す多国籍からなる人間たちの集まりにおいて、〈人間としての同じ「生活形式」を共有している〉からこそ、そこで使用される共通言語を彼らは理解できるのです。

さらに、具体例を挙げてみます。フランス人が「ボンジュール」と言ったとき、日本人がそれを「おはよう」の意味だと学び、理解できるためには、フランス人と日本人が「朝にする挨拶の言葉」という同じ「生活形式」、言いかえれば、同じコンテクストを共有している必要があります。

また、ウィトゲンシュタインはこの「生活形式」の一致について、次のようにも述べています。

「それでは君は、人間の間の一致が、何が正しく、何が間違いなのかを決めると言うのか？」――正しい、間違っている、とは人間が語ることだ。そして言語において人間は一致している。それは意見の一致ではなく、生活の形（引用者註：生活形式）の一致だ。（『哲学探究』）

人間同士のあいだで意見が異なることがあります。意見が異なっていることを人間同士が理解するためには、人間同士がそこで用いているひとつの共通言語が必要です。その共通言語のなかで、人間同士は意見の違いを見て取ることができるのです。そして、共通言語を用いるためには、同じひとつの「生活形式」を共有している必要があります。

また一点だけ補足すると、同じひとつの「生活形式」を共有している必要があるということを逆に言えば、日本人とフランス人が同じ時間、同じ場所にいることによって、自然に「生活形式」が生まれます。よって、実は、自然に「生活形式」が生まれるので、わざわざ「必要がある」と言うこともないのです。

この自然に「生活形式」が生まれるという点は、宇宙人を思い浮かべてみるとよいと思います。地球人と宇宙人はいまだ同じ時間、同じ場所にいたことがないと仮定すると、地球人が宇宙人の「生活形式」を知るとはどういうことかとは、わからず、想像さえできないのです（想像できたとしても、それは私たち地球人の「生活形式」にもとづいて、想像しているだけなのではないでしょうか）。

ところが、未来のある日、地球人と宇宙人が遭遇したと仮定すると、遭遇した同じ時間と同じ場所により、両者のあいだに自然に「生活形式」が生まれるのです。

◆ 宗教間対話の可能性の条件 ◆

さて、話題を宇宙人から宗教間対話へと戻します。

この「生活形式」の概念を「宗教間対話」の可能性に応用してみると、どんなことが言えるでしょうか。

宗教間対話が可能であるためには、諸宗教は共通の「生活形式」を有しているはずなのです。その共通の「生活形式」こそ、それら諸宗教が並存している「この世界そのも

の」です。つまり、

「この世界そのもの」は、宗教間対話の可能性の条件

と言えるでしょう。

諸宗教が、彼岸《ひがん》（あの世）のことを語る場合ではなく、此岸《しがん》（この世）のことを語る場合に、お互いにどれだけの対話ができるのかが問われます。またそのとき、それら諸宗教の信仰者のこの世界での生き方が共通の話題となるはずです。

ですから、**各宗教の言葉は信仰者によって生きられることではじめて意味をもつ**のです。そして、たとえばキリスト教の信仰者と仏教の信仰者の「生き方」や「生き様」に着目した場合、ふたつの宗教で使用される言葉の表現は異なっていても、「生き方」や「生き様」に共通のものが見出されるはずです。

たとえば、キリスト教における「愛」という言葉と、仏教における「慈悲」という言葉は確かに文字も違いますし、これらの言葉が含みもつ意味内容も違います。しかし、それぞれの信仰者がこの共通の世界で生きたとき、**キリスト者の「愛」と仏教徒の「慈悲」に共通する何かが見出される**のです。

私は学生時代、様々な宗教の信仰者の本を読み、その生き方を比較してみました。その際、信仰者の生き方に共通する何か、尊敬に価するような何かを私が垣間見《かいまみ》たのは、宗教の言葉が信仰者たちによって生きられ、共通する「意味」を生んだからではないかと思うのです。

視点20・シモーヌ・ヴェイユの「奴隷」と「不幸」の概念を読み解く

神それ自体を語るには？

ここからは、シモーヌ・ヴェイユの人生と信仰を見ていきます。彼女はひとつの宗教の内と外をどのようにとらえていたのか、を知ることを通して、宗教間対話において本当に大切な視点とは何かを考えます。

二〇〇五年、修士論文を執筆し終え、ウィトゲンシュタインの研究に一段落ついた頃、私の中で新たな問いが芽生えていました。

此岸において、信仰者の生き方を語ることはできるかもしれません。しかし、彼岸に存在する神それ自体を語るにはどうしたらいいのだろうか、と私は疑問を抱いたのです。

「愛」や「慈悲」という宗教の言葉は信仰者の生き方に現れる意味としてとらえることができるかもしれません。しかし、私たちが神について語る場合、神の意味内容を信仰者の生き方に置きかえてしまうことには無理があります。

もちろん、神がイエス・キリストを通して体現されるということもあります。その場合、神それ自体が、イエス・キリストを通して、この世界に顕現《けんげん》したと言えるでしょう。

しかし、次のような場合はどうでしょうか。神が顕現したと言えるでしょうか。たとえば、危険なことに出くわし、私たちが心の中で「神さま！」ととっさに叫ぶとき、この神さまを私たちの生き方に現れる意味としてとらえることには無理があるでしょう。この神さまは、私たちの「たすけて！」という言葉を発したときの生き方において現れる意味ではなく、私たちの「たすけて！」という気持ちを受け止めてくれる何者かでなくてはならないのです。

こうして、神それ自体を語ることが私の中で問題となってきたのです。

この問題が芽生えはじめた頃、出会ったのがシモーヌ・ヴェイユの『神を待ちのぞむ』(河出書房新社)でした。その中で、哲学教諭であったヴェイユが神について多くを語っていたのです。

ヴェイユの『神を待ちのぞむ』は、友人のジョゼフ＝マリー・ペラン神父に宛てたヴェイユの六通の手紙とその他の諸論考で構成されています。

なお、ペラン神父は、ヴェイユが洗礼を受けるか否かについて、彼女の相談に乗っていた人物です。この六通の手紙には、なぜヴェイユが洗礼を前にしてためらいを抱いていたのかが彼女自身の筆によって記されています。私たちはこれから、この六通の手紙を読み解くことを通して、ヴェイユにとっての信仰について考えていきます。

◆「奴隷」：自分自身への嫌悪と絶望◆

ヴェイユがキリスト教に傾倒《けいとう》していった背景を知るうえで、彼女の「奴隷」と「不幸」の概念がキーワードとなります。

まず、彼女にとって「奴隷」とは何かを見ていきましょう。

先述したようにヴェイユは高校の哲学教諭でしたが、一九三四年に休職し、自ら進んで工場労働に従事します。低賃金でノルマを課される工場労働者たちの生活を自ら体験するためでした。その工場労働において、彼女は自身を「奴隷」であると見なします。

工場で、私は永遠なる奴隷の徴《しるし》を受け取ったのです。それは、ローマ人が自分たちのもっとも軽蔑する奴隷の額に押し当てた、焼きごての徴としての奴隷の徴です。それ以来、私は常に自分を奴隷と見なしてきました。（原書『神を待ちのぞむ』所収「手紙Ⅳ」）

注意すべきところは、工場労働において、雇い主からヴェイユは「奴隷」と見なされたという意味ではないということです。**ヴェイユの意味での「奴隷」とは、自分自身に対して侮蔑や嫌悪を抱く者**のことです。

確かに、ローマ時代の奴隷たちは主人によって奴隷と見なされました。しかし、彼女の場合は、主人などの他者によるのではなく、自分自身によって自分自身を「奴隷」と見なすのです。

つまり、彼女のなかの、言うなれば「主人」的ヴェイユが、もう一方の嫌悪の対象であるヴェイユを「奴隷」と見なしたのです。彼女は自分自身を侮蔑し嫌悪します。

なぜでしょうか。なぜそれほどまでに彼女は自分自身を嫌ったのでしょう。哲学教諭でもあった彼女は社会的なステータスも低いことはなく、彼女には哲学的な才能もあったはずです。周囲から見れば恵まれていたに違いありません。でも、彼女の心のうちには、絶望的な自分がいたようです。

この辺りの「絶望」について、彼女の「不幸」の概念と合わせることで理解が可能になります。彼女の書いたものをもう少し見ていきましょう。

◆「不幸」：自分の魂を半分しか保っていない状態◆

一九三五年、九ヶ月の工場労働を終えた後、疲弊《ひへい》した身体のまま、彼女は両親とともにスペインとポルトガルへ旅行します。両親から一人離れ、ポルトガルの小さな漁村に滞在中、彼女はカトリック信者たちの信仰に触れる機会をもちます。

ペラン神父に宛てた手紙の中で、彼女は次のように書いています。

このような精神状態と惨《みじ》めな身体の状態にあって、守護聖人の祭りの日、満月の夜に一人、ポルトガルのその小さな村に私は入っていったのです。その村も、ああ、なんとも惨めでした。それは海岸でした。漁師の妻たちが列をなし、舟々の周りをろうそくを手にして歩きながら、明らかにかなり古い、身を切るような悲しみの讃美歌を歌うのです。その光景については、他には何も言えません。ボルガの舟曳唄《ふなひきうた》を除いて、あれほど悲痛な歌を私は知りません。そこで突然、私はある確信に至ったのです。それは、キリスト教とはすぐれて奴隷たちの宗教である、と。奴隷たちはそれを信ぜずにはいられない、と。そして、私もその奴隷たちのうちの一人なのです。（『前掲書』所収「手紙Ⅳ」）

キリスト教はすぐれて奴隷たちの宗教であり、そしてヴェイユ自身もまた、その奴隷たちのうちの一人であると彼女は確信するに至ります。

この拙訳部分における「奴隷たち」という言葉は、先に見たヴェイユの意味における「自分を嫌悪する者」という意味での「奴隷」とは異なります。「奴隷たち」、「不幸な者たち」とヴェイユが呼ぶ場合は、文字通り虐げられた人たちのことを指します。ところが、ヴェイユが自分自身を「奴隷」、「不幸」と呼ぶ場合は、他者である主人から虐げられているのではなく、彼女自身によって自身を嫌悪の対象と見なしているのです。

ヴェイユの「奴隷」と「不幸」の概念を読み解くうえで、このふたつの概念の含みもつ二重の意味が読み手を困惑させますので注意が必要です。

さて、ヴェイユにおける「奴隷」という言葉と「不幸」という言葉は密接につながり合っています。

先に説明したように、ここからの「不幸」は、「不幸な者たち」や「虐げられた者たち」のことではなく、ヴェイユ自身の場合の「不幸」の意味です。

彼女によると、「不幸」とは、身体的な痛みや苦しみとも違うものです。身近な人との死別がもたらす悲しみとも違うと言います。

ヴェイユの場合の「不幸」とは、自分自身への「軽蔑、排斥、嫌悪」（『前掲書』所収「神への愛と不幸」）がその本質にあります。その嫌悪が自身の中で増大すればするほど、「自分の魂を半分しか保っていない」状態（『前掲書』所収「神への愛と不幸」）へと彼女を至らせます。それは、自分がもう一人の自分とに、ふたつに分裂《ぶんれつ》した状態です。

これは、「主人」である魂の半分が、「奴隷」であるもう半分の魂を卑下《ひげ》するような、**本来はひとつのはずの魂が、ふたつに分裂した状態**のことだと私は解釈しています。

理想を追おうとする魂の半分（主人）が、どうにもならないもう半分の魂（奴隷）と調和できず、あえぎ、もがき苦しんでいるのがヴェイユの姿であると思います。そして、その魂の不調和から、ヴェイユのなかで、自分自身への「絶望」が生じるのです。この「絶望」については、次節でさらに詳述します。

このような魂の状態にある自身のことを彼女は「不幸」と呼び、魂に「奴隷」の徴を刻み込まれたと言います。

◆社会への絶望？　自分への絶望？◆

さて、工場労働の箇所でも見たように、ヴェイユは社会の底辺の者たち、弱き者たち、虐げられた者たちと常にともにあろうとしました。ヴェイユは次のように書いています。

民衆にかかわるいかなる詩情も、そこに疲労の痕跡と、疲労に端を発する飢えと渇きの痕跡が認められぬかぎり、真正とはいえない。（シモーヌ・ヴェイユ『重力と恩寵』）

ここでの「詩情」とは、民衆に対するナルシスティックな同情という意味でしょう。いかに社会の底辺の者たちに同情をしようとも、私たちが実際に彼らとともに働き、汗を流し、疲れを感じないならば、そのような同情は本当のものとは言えないというのです。

ヴェイユは自身を、身体的な苦痛や精神的に負った悲しみのために「不幸」な存在であると見なしていたのではないことは確認しました。

そうではなく、自身を「不幸」な「奴隷」と見るとは、**彼女もこの「民衆」とともにありつつ、この「民衆」を目の当たりにしながらも、この「民衆」に対して何もできない自分の無力さ、自分自身への「絶望」を感じていたのではないか、**と私は解釈しています。

つまり、ヴェイユのなかの「絶望」は、理想（主人）と現実（奴隷）というふたつの魂の部分の完全な分裂によってもたらされるのだと思います。理想へ飛び立とうとする自分がいるのだけれども、一向に飛び立てない、どうしようもない現実の自分への「絶望」とも言えるでしょうか。

この「絶望」を私の体験に即して言いかえてみると、私の場合は、理想へ向かえない自分を責めるのではなく、自分が活躍できない社会を恨むと思います。自分への「絶望」ではなく、社会への「絶望」です。

しかし、ヴェイユの場合は、弱き者たち、虐げられた者たちのために、この社会を変えようと闘います。彼女の場合は、社会を恨むのではなく、そんな理想をもっていても何もできない現実の自分に「絶望」を抱くのです。

私とヴェイユのこの違いが重要でしょう。私のように社会のせいにするのか、ヴェイユのように自分のせいにするのか、この違いは大きいと私は考えます。

「世界全体の幸せなくして、自分の幸せなし」

ヴェイユの関心は、自分のことではなく、人々のことなのです。ヴェイユと同時期にパリのソルボンヌ大学に通っていたシモーヌ・ド・ボーヴォワールの回想が、その著書『娘時代　ある女の回想』（紀伊國屋書店）に記されています。

ちょうどその頃中国に大飢饉《だいききん》が起った。この報に接したシモーヌ・ヴェール（引用者註：ヴェイユのこと。フランス語でWeilは、ふたつの読み方が可能）は嗚咽《おえつ》したという話だった。彼女の哲学的才能よりも、これらの涙は私に尊敬の念を湧かせた。私は宇宙全体と闘えるだけのその心を羨《うらや》んだ。（『前掲書』）

この点で、ヴェイユと同時代人で、日本に生きた宮沢賢治（一八九六―一九三三）を私はいつも思い出します。賢治は次の言葉を遺しています。

世界がぜんたい幸福にならないうちは個人の幸福はあり得ない。（宮沢賢治『宮沢賢治全集10』所収「農民芸術概論綱要」）

ヴェイユも賢治も、**「世界全体の幸せなくして、自分の幸せなし」**と考えていました。ヴェイユはキリスト教のカトリックに惹かれ、賢治は仏教の日蓮宗を信仰していました。宗教は異なっても、二人はその視線の先に同じものを見ていたのです。

宗教間対話において本当に大切な視点、それは自分の信仰の絶対性を押し通すことではなく、**「世界全体の幸せ」**、**「人々の幸せ」**を忘れないことではないかと私は考えます。

◆信仰に惹かれても洗礼はためらう◆

キリスト教とはすぐれて奴隷たちの宗教であり、また自分もその奴隷たちの一人だとヴェイユは言います。このようにして、彼女はキリスト教、とりわけカトリックの信仰へと惹かれていきます。

しかし、ヴェイユは洗礼を前にしてためらいます。彼女はペラン神父に次のように書いています。

しかし、今まで、祈りのあいだ、ミサのあいだ、あるいはミサの後に魂のなかに残る光の眩《まばゆ》さのうちに、私はしばしば洗礼の問題を持ち出していましたが、私が教会に入るのを神は望んでおられるという感覚を、私は一度も、一秒たりとも、抱いたことはありませんでした。私は一度も、不確かな感覚を抱いたことはありません。今のところ、私が教会のなかへ入るのを神は望んでおられないと結論づけることができると思います。（原書『神を待ちのぞむ』所収「手紙Ⅳ」）

洗礼を受けるということは、教会に入るということです。教会という集団の一員となること、このことで教会の内と外の区別ができあがります。そして、ヴェイユにとって、その内と外では大きく意味が異なるのです。

それでは、ヴェイユにとって、教会とはどのようなものだったのでしょうか。

私を怖れさせるものは、社会的なもの〔chose sociale〕としての教会です。（『前掲書』所収「手紙Ⅱ」）

教会が真理の維持と継承の機構〔organe〕であるという理由で、社会的な影響に過度に弱い私のような者にとって、そこには極度の危険があるのです。（『前掲書』所収「手紙Ⅱ」）

ここで問題になるものが、「真理の維持」という部分です。ここで言われる「真理」のうちのひとつこそ、「教会の外に救いなし」という考えではないかと私は解釈しています。「教会の外に救いなし」とは、キリスト教を信仰すればこそ、神の救いに与《あずか》ることができるのであって、その他の宗教では真の救いはないという意味です。したがって、教会の内と外で大きく意味が異なってくるとは、人が神の救いに与れるか否かにつながる重大な問題なのです。

そこで、ヴェイユにとっての「社会的」とはどのような意味なのでしょうか。

元来、教会とは信仰を同じくする者たちが、神に祈りを捧げるべく寄り集う場所です。

しかし、「社会的」な教会という意味になると、先ほどの拙訳部分にもあるように、「機構〔organe〕」として「社会的」な権力をもつ存在となるのです。その権力が強くなればなるほど、社会に対する教会の影響力は強くなります。この権力機構としての教会となると、元来の信仰を同じくする人々の集いの場所という素朴さは失われるでしょう。

この「社会的」な権力機構としての教会に対して、「社会的」な出来事やその理不尽さに敏感であったヴェイユは異を唱えたくなると言うのです。

◆「教会の敷居のうえにとどまる」とは◆

ヴェイユは、権力機構としての教会が使う「破門」という言葉を挙げ、批判します。この「破門」という言葉は、先ほど遠藤周作著『深い河』の大津のところで述べた正統と異端の区別で使用される言葉です。教会は異端を「破門」するわけです。

ヴェイユは次のように書いています。

なぜなら、キリスト教は普遍的《カトリック》だからです。したがって、教会もそうなのです。しかし、私の目には、キリスト教は建前上は普遍的ですが、実際にはそうではありません。私が愛し、手放すことを望まない多くのものが、キリスト教の外にあります。

（『前掲書』所収「手紙Ⅳ」）

キリスト教の外にあるもの、つまり教会が「破門」としたもののなかにも、真理が宿っているのではないか。そして、教会に排斥され、教会の外で「もはや救いはない」と見なされた多くのものたちをヴェイユは愛し、手放すことができないと言うのです。

そこで、教会に入るということを意味する洗礼、その洗礼を受けるか否かという問題を前にして、ヴェイユはペラン神父に宛て、次のように書いています。

いずれにせよ、近いうちにありうることとして、私が教会に入ることを具体的に想像するとき、信仰をもたない大勢の不幸な人々から離れてしまうと考えること以上に、私を苦しめるものはありません。人々のなかで、様々な人々のなかで過ごすことを、私は本質的に必要としており、それを召命と言ってよいと思っております。

（『前掲書』所収「手紙Ⅰ」）

ヴェイユ自身が望むことではなく、彼女は神が望むことに忠実に生きようとしました。そして、その神が彼女に望んでいることは、洗礼を受けて教会に入ることではなく、「信仰をもたない大勢の不幸な人々」とともに生きることだと彼女は感じたのです。そのような生き方を彼女は、神が彼女の人生において望むこと、つまり自身の「召命《しょうめい》」と呼びます。

次のヴェイユの言葉は、洗礼の問題に対する彼女の最終的な決意の現れです。

私は常に、キリスト教とキリスト教以外のすべてが交差するこの明確な一点、すなわち教会の敷居のうえに、動かず、不動のままで、とどまっておりました。（『前掲書』所収「手紙Ⅳ」）

「教会の敷居のうえ（au seuil de l'Eglise）」とは、教会の内でも外でもない場所です。内と外のあいだに位置する敷居のうえに、じっとして動かず、とどまるとヴェイユは言います。

ヴェイユにとって、自身の救いなど問題ではなかったのです。そんな自身の救いよりも、教会の外にいる多くの人たちの幸せのために動き、働くこと、そして、彼、彼女らとともにあることを望んだのです。

◆私にとって、「神」という言葉が意味をもつとき◆

本章の最後に、私自身は信仰というものをどう考えているのかをお話ししてみたいと思います。

私は特定の宗教を信仰していません。

いまだに、私はひとつの宗教を選び取るということができずにいます。

ひとつの宗教を選び取るということについて、まだ考えている最中《さなか》なのです。生涯かけて私はこの問いを考え続けるのかもしれませんし、最終的にひとつの宗教を選び取るという決心をする日が来るかもしれません。

これは私にはわからず、ただ神や仏のみがご存知なのかもしれません。

私は特定の宗教を選び取ることはできずにいますが、しかし、私はイエス様と釈尊に惹かれます。

届かないながらも、**イエス様や釈尊をお手本にしながら、毎日を生きたい**と願っています。

そして、**「神は存在する」**と私は漠然と信じています。

さらに、ここにすぐに言い添えておきたいことは、私にとって、**「神の存在を漠然と信じていること」**と**「神を信じること（＝神という言葉が私にとって意味をもつこと）」**は異なります。それは以下の理由によります。

私が躁うつを発症したことは、ここまで何度も書きました。この苦しい病に襲われたとき、私は神を信じることをいったんやめました。

というのは、「なぜ神はこんなにも苦しい目に私を遭《あ》わせるのか」という問いへの答えを見つけることが私にはできなかったからです。

神を恨むという仕方でしか、私は神という言葉に意味を与えられず、それがつらかったのです。そのため、神を信じることをいったんやめたのです。神を恨まないために、神について考えないようにしたのです。

しかし、うつの発症から数年後、私は同じ病で苦しむ人の気持ちがわずかなりとも理解できるような気がしてきました。そこでもういちど、なぜ私はうつという病にならねばならなかったのか、という問いが私のなかで蘇《よみがえ》りました。

もし、神が私にうつを与えたのだとするならば、神が私にそれを与えた意味があるはずだと私は思うのです。

その意味とは、人の痛み、苦しみ、つらさを私が学ぶためだったのではないかということです。そして、その意味こそが、私にとって、病の苦しさからの「救い」となったのです。

「救い」は求めて手に入るものではなく、
どんな時にか、どんな仕方でか、
神や仏から与えられるもの。

なのかもしれません。

そして、人の痛み、苦しみ、つらさを学ぶためだったという意味が私を救い、その「救い」によってはじめて、私のなかで、再び「神を信じる（＝神という言葉が私にとって意味をもつ）」という信仰がはじまったのかもしれません。

第七章

善く生き、善く死んでいくということ

視点21

内なる善、つまり良心を発見する

法律と良心の違い

善とは何でしょうか？

私たちは、してもよいこと、してはいけないことの基準があることをなんとなく知っています。

わかりやすいところで言えば、その基準とは法律です。この場合、私たちは善悪の判断をしているというよりも、意識的または無意識的に、「法律に反するから」という理由で、その行為をしないでしょう。

法律とは、特定の国や地域で決められた人間同士の約束事です。

「お互いにこれこれはしないでおきましょう。もし約束を破った場合は、これこれの罰を受けることにしましょう」という約束のうえで、人間関係を円滑に進めようとするものです。

法律で行為が禁じられていれば、私たちは、してもよいこと、してはいけないことを一つひとつ考え、判断する必要が無くなります。私たちの行為は、ある種、法律という規則によって自動的になされているとも言えます。

この点で、池田晶子は次のように述べています。

もし善悪を一般的に規定できるなら、人がものを考える必要はなくなる。法律と慣習と一般的思い込みに盲従していればいいからだ。しかし、そんなところに人間の善悪は存在していない。善悪は各人の「胸の内」、各人の内なるところにしか存在していないのである。（『知ることより考えること』）

では、法律で定められていない行為の判断基準とは何でしょうか。

たとえば、現在のところ日本では、仲間はずれを禁じる法律はありません。しかし、仲間はずれはかっこわるいこと、よくないことだと多くの人は考え、その行為をしないのではないでしょうか。

この場合、仲間はずれをしない判断基準は、道徳と呼ばれます。道徳は、それに背いたからと言って罰せられることはありません。**道徳は、各自の良心というものに委**《ゆだ》**ねられているだけなのです。**

道徳に背いたときには、良心の呵責《かしゃく》があるだけなのですね。そうです。先ほど、池田晶子が「善悪は各人の「胸の内」、各人の内なるところにしか存在していない」と言うのは、この良心のことです。

◆お天道さまが見ている：道徳の根拠づけの難しさ◆

道徳の根拠づけをするためには、「人として、または人の行いとして、世の中には良いことと悪いことがある」という言い方、または「お天道《てんとう》さまが見ている」という言い方で、各自の良心に訴えかけるしかないのです。

多くの哲学者たちがこの道徳の根拠づけを試みていますが、道徳的に良いこと、悪いことを根拠をもって示すことは、実のところ難しいのです。

なぜ難しいのかというと、人の行いの良い悪いは、誰がどのように決めているのか、と問うてみるとよいと思います。

神やお天道さまのような存在が決めているとも考えられますが、では、その神の存在を証明できるでしょうか。このように、道徳の根拠づけをしようとすると、神の存在を証明しようとするところまで、問いは深まります。

したがって、道徳の根拠は何かという問いは、どんどん深まっていくという意味で、**語り尽くせない問い**なのです（第一章を参照）。


さらに、善が各自の良心に委ねられているとすれば、人それぞれ善のあり方は異なるとも考えられます。実際、そのように考えるのが相対主義《そうたいしゅぎ》です。人、時、場所によって、善悪の価値は変わってしまう、つまり相対的であるとする考え方を相対主義と言います。


さらに進んで、絶対的な善など、そもそも存在しないと考えるのがニヒリズム（虚無主義）です。

神やお天道さまのように人間の行為を見通し、良い行いには報いを、悪い行いには罰を与えるような存在がいなければ、善も保証されないということです。すなわち、何も無いという意味で、ニヒリズムです。

ニヒリズムにおいては、われわれの行為を見張り、罰してくる者はどうせいないのだから、何をしてもよい、何をしても許されると考えます。しかし、このような考え方の人が集まる社会は、想像しただけで恐ろしいものがありますね。

相対主義やニヒリズムに陥《おちい》らないために、道徳の根拠を考えることは必要です。たとえ**それが語り尽くせない問いであっても、考え、語り続けることが大切**なのです。

◆「他律的」と「自律的」◆

では、私たちは考え、語り続けていきましょう。

池田晶子は各自の内なる善、つまり良心を道徳の根拠と見なします。そして、道徳の行いのふたつの側面を指摘しています。

ひとつ目の側面は、**「悪いことはしてはいけないからしない」**、つまり、「人に言われるからしない」、「人が見ているからしない」などの、自分の考えとは別の理由で「悪い」と思われているからしないという、他が律する、すなわち**他律的《たりつてき》**な側面です。
ふたつ目は、**「悪いことはしたくないからしない」**、つまり、自分がある行為を「悪い」と考え、その行為をしないように自分を律するという**自律的《じりつてき》**な側面です。（『私とは何か』）

この「悪いことはしたくないからしない」という行為の自律的な側面は、後ほど効果を発揮します。

池田晶子は次のようにも述べています。

> 善悪は外にではなく内にある。内にしかない。この恐るべき当たり前に、どうしてか人は気づかない。気づきたくないのかもしれない。善悪は外、法や世間や世間の評価にあると思っていた方が、内で悪いことができる。内で見てるぞ、自分が悪事を見張っているぞ。そういうのは怖くて叶わないと、そう思っているのかもしれない。／しかし自分にとって悪いことを自分がしないように見張っていられるのは自

分しかいない。「悪い」というのは、自分にとって悪いという以外のいかなる意味でもない。法律を犯すことが悪いことなのでは断じてない。法や世間の善悪など、そこでは一切関係ないのだ。（『知ることより考えること』傍点、引用者）

善が自分の内にあり、それが終始、自分の行いを見張っているとしたら、そのことに私たちは耐えられるでしょうか。

自分で自分を律しなくてはならない。いえ、律しなければならないという言い方は、まだ他律的ですね。自分で自分を律したいという自律的な言い方がなされるべきでしょう。

しかし、**自分が自分を律するという言い方も、実はまだ他律的**なのです。というのは、自分の内に自分とは独立に良心なるものがあって、それが自分を見張っていると考えるからです。

そこで、「自分にとって悪い」という池田晶子の言葉をもう少し補足する必要があります。これはどういう意味かというと、たとえば、自分がつい仲間はずれをしてしまい、嫌な気持ちになったことを想像してみてください。

この嫌な気持ちで夜も寝つきが悪かった。良心の呵責に苛《さいな》まれた。こんなとき、もう仲間はずれはやめようと思わないでしょうか。こんな良心の呵責に苛まれるくらいなら、自分の良心にしたがって、すがすがしく生きたい。こんな思いこそが、「自分にとって悪いこと」であり、自分から「悪いことはしたくないからしない」と思うことなのです。

◆内なる善の声を聴く◆

さて、先ほどの池田晶子の考えを突き詰めると、やはり各自の内なる善、つまり良心の相対主義という考えを免《まぬが》れません。というのは、私の良心とあなたの良心は、どのようにして、ひとつの行為について道徳の良し悪しを同じように決定できるのかという問題が残っているからです。

しかし、池田晶子もこのような批判は承知していたと私は見ています。そのうえで、彼女はあえて各自の内なる善、良心というものに信頼を置いたのだと思います。

良心を信頼することは、

神を信頼することと同じである

と私は考えています。

このことは、次のように考えるとよいと思います。すなわち、神の存在を証明できないなら、善悪の相対主義を採用しなければならないということではなく、**神の存在を証明できなくても、神を信頼し、相対主義を乗り越えることはできる、**というものです。

同様に、良心を根拠づけることができないなら、相対主義を採用しなければならないということではなく、**良心を根拠づけられなくても、良心を信頼し、相対主義を乗り越えることはできる、**と。

私たちは、たとえ良心を根拠づけることはできなくても、良心を信頼して行為をすることはできます。そして、私が私の良心を信頼するように、私はあなたの良心を信頼する。このような良心への信頼の連鎖が世界中に広まることが必要なのかもしれません。

実際、そのようにお互いに信頼し合っているからこそ、現時点でも、少なくとも日本では、（防犯カメラは街のいたる所にありますが）人混みの街を武器や防具なしに歩けると思うのです。

各自の内なる善、つまり良心への信頼という意味において、池田晶子の洞察《どうさつ》は真実でしょう。

自分の行いを見ている自分の良心の存在は真実だからこそ、それを知ってしまった者にとっては厳しいものです。人は、その真実を「不都合な真実」として、見て見ないふりをするかもしれません。

しかし、自分の行いを自分の良心が見ているとネガティブにとらえることは違うのでしょう。なぜなら、それはまだ、良心にやらされているだけの他律であり、自律的とは言えないからです。

ここで、先ほどの「悪いことはしたくないからしない」という自分で自分を律する自律的な側面が効果を発揮してきます。つまり、**良心と自分がひとつになったところにようやく、私は良心にしたがって生きたい**という自律的な生き方が可能になるのです。

私は先ほどの池田晶子の言葉（ふたつの引用箇所）を読んで、内なる善、良心の存在に気づきました。それまでの私は、善は相対的なもの、すなわち、人それぞれ、時代や状況によって善の内容は変わると思っていたのです。

その気づきを、私にとっての回心《かいしん》と呼ぶこともできるかもしれません。

◆回心：池田晶子と死刑囚◆

実際に、彼女の言葉に回心した、つまり心を改めた死刑囚もいます。回心とは、心の向きが一挙に、劇的に変わることです。

『死と生きる　獄中哲学対話』（新潮社）という著作名が示すように、池田晶子は、死刑囚の陸田真志《むつだしんじ》と公開往復書簡を行っていました。池田晶子は陸田真志について次のように書いています。

ある死刑囚は、逮捕され、獄中で、忽然《こつぜん》と回心した。何ということをしてしまったのか。殺人は完全な悪である。私は罪を犯したのだから、罰は当然である。残された時間を償いのために使いたい。(中略)／おそらく彼は、突然の回心を得た時、殺人の悪に気づいたのではなく、自身の善に気づいたのだ。(池田晶子『新・考えるヒント』)

陸田真志自身は次のように書いています。

獣《けもの》としか思えなかった私にも善を求める心がある事、あった事がわかり、やっと自分自身を卑下《ひげ》する考えから解放されました。そして、死も神も自由も孤独も権力も概念に過ぎない、そう知って、初めて何者も恐れず、何物にもとらわれない、真に自由な自分自身の魂をとり戻せた思いです(今、独房においても全くの自由を得ているると信じられます)。そして、その「善」が在る事。それを求める心が、自分にもあった。その事実にこそ、「神」が存在する、そう信じています。(池田晶子・睦田真志『死と生きる　獄中哲学対話』)

「殺人は完全な悪である」という死刑囚の気づきは、内なる善、良心の声を聴いた者のそれです。

陸田真志は、殺人の悪の根拠に気づいたのではありません。言いかえれば、殺人がなぜ悪いことなのかという絶対的な理由を知って、彼は回心を得たのではないのです。そうではなく、**彼は自身の良心に気づき、その声をじかに聴いた**のです。

彼が良心の存在に気づき、殺人という罪を悔い改めたことは、彼の良心への信頼でしょう。また、その良心への信頼が再び彼の中で芽生えたその事実にこそ、神が存在するという、**神への信頼が起きた**のです。

それまでの彼は、自分の欲望のためなら何をしても許されると思って生きてきたのかもしれません。そんな自分自身を「卑下する気持ち」とは、きっと自暴自棄《じぼうじき》に近いものがあったのではないかと私は推測します。

しかし、そんな彼の中にも善を求めるという清い心があった、その事実が彼を再び目覚めさせたのです。

視点 22

・

善く生きる

◆恋する心の声を聴く：語り尽くせないもの◆

突然ですが、誰しも人を好きになった経験があると思います。

人を好きになったとき、あの素敵な人に相応《ふさわ》しくなれるように、もっとちゃんとしよう、もっとよくなろう、もっと善く生きようと自ずと自律的になりはしませんか。

人は人に**恋をすると、成長しようとする**ようですね。

恋に落ちたときに、胸の内から聴こえる声、「もっとよくなろう」という声、その声こそが池田晶子の言う内なる善、つまり良心の声だと私は考えています。

ちなみに、人が人を好きになった理由をたずねられて、うまく答えられるでしょうか。その人を好きになった理由はいくらでも挙げられるのですが、反面、これといった決め手については上手く言葉で言い表せない、そんな経験はありませんか。

何となく好き、感じがいいから、笑顔が素敵、フィーリングが合う、など。しかし、決してひと言では片づけられないのが、人を好きになった理由ではないでしょうか。

おそらく、**人が人を好きになる理由は語り尽くせない**もののようです。

よくよく考えると、なぜかわからないけど、その人を好きになり、そのくせ、なぜかわからないにもかかわらず、人は人を好きになると、自ら進んで成長しようとするらしいのです。

私たち人間の不思議と言えば不思議な部分ですし、素敵と言えば素敵な部分ですね。

◆ 魂について：プラトンのミュトス（神話）◆

さて、池田晶子の言う内なる善、つまり良心は、あたかも私たちが生まれながらにして善を知っているかのようです。

プラトンは、それを「善のイデア」と呼んだのではないでしょうか。プラトンはその著書『国家』（岩波文庫）において、対話篇《たいわへん》の登場人物の一人、師のソクラテスに、次のように「善のイデア」を語らせています。

実在および実在のうち最も光り輝くものを観ることに堪《こら》えうるようになるまで、（引用者註：魂を）導いて行かなければならないのだ。そして、その最も光り輝くものというのは、われわれの主張では、〈善〉にほかならぬ。（『前掲書』下巻）

これは、善のイデアを「最も光り輝くもの」、つまり太陽にたとえているので、「太陽の比喩」と呼ばれています。

「実在」とは、実際に存在するものという意味です。実際に存在するあらゆるものの中で、最も光り輝くものは、太陽にたとえられた善に他ならない、とソクラテスは言っているのです。「善のイデア」は、光り輝く太陽のように、あらゆるものを遍《あまね》く照らし出します。

さらに、プラトンが『パイドン』（岩波文庫）の中でソクラテスに語らせている「想起《そうき》説《せつ》」によると、人間の魂は生まれる前に、天上においてこの「善のイデア」をすでに見て、知っていたのだとされます。ところが、魂は生まれたときにこの「善のイデア」を忘れてしまいます。そこで再度、魂は「善のイデア」を想い起こそうとする。この想い起こすことを、人は「学ぶ」と呼んでいるのだ、と（『前掲書』参照）。この説を「想起説」と言います。

また、プラトンの『パイドロス』（岩波文庫）の中では、ミュトス（神話）という形で、魂についてソクラテスは語っています。美しいミュトスですので、引用してみます。

魂の本来の相《すがた》について、つぎのように語らなければならない。（中略）／魂の似すがたを、翼を持った一組の馬と、その手綱《たづな》をとる翼を持った馭者《ぎょしゃ》とが、一体となってはたらく力であるというふうに、思いうかべよう。――神々の場合は、その馬と馭者とは、それ自身の性質も、またその血すじからいっても、すべて善きものばかりであるが、神以外のものにおいては、善いものと悪いものとがまじり合っている。そして、われわれ人間の場合、まず第一に、馭者が手綱をとるのは二頭の馬であること、しかも次に、彼の一頭の馬のほうは、資質も血すじも、美しく善い馬であるけれども、もう一頭のほうは、資質も血すじも、これと反対の性格であること、これらの理由によって、われわれ人間にあっては、馭者の仕事はどうしても困難となり、厄介なものとならざるをえないのである。（『前掲書』）

このミュトスを読み、自身が欲望に流されやすいのは、こういう理由があってのことかと膝《ひざ》を打つ人もいるでしょう。それぞれ別の方向へ進もうとする二頭の馬と、その手綱をとっている馭者の姿が私たちの魂だと言うのですね。

ところで、私たち現代人はともすると、ミュトスと聞くと荒唐無稽なお話と思いがちですが、そう思ってしまうのは早計です。実は私も哲学を学びはじめた頃、哲学とは考えるものであって、プラトンの言うようなミュトスではないと思い、避けていました。しかし、たとえば小説や映画、漫画などのようなフィクションがより現実や真実をうまく描き出していることもありますよね。

善の根拠のように、人間には論理的に証明することが困難なこともあります。そのような場合に、ミュトスのようなフィクションを用いることで、善というものを浮き彫りにすることができるのです。

このように、生まれながらにして知っていたはずの善を忘れ、ただただ法律に反するからその行為をしないというレベルで、人間は生きてしまいがちかもしれません。

人間は、**「善のイデア」を知る良心という内的基準**の高いレベルから、**法律という外的基準**にだけに意識がいきがちな低いレベルに甘んじてしまうのではないでしょうか。

◆生きるうえで、本当に大切なこと◆

日々の慌ただしい生活に覆い隠されてしまうのですが、ちょっと立ち止まると、様々な哲学の問いに囲まれて私たちは生きていることに気づきます。

たとえば、

- 私はなぜ生まれてきたのか?
- 私はいつか死んでしまうが、何のために生きるのか?

・私にとって、善く生きるとはどういうことか？

こうした哲学の問いに囲まれて生きつつも、なすべき事が多過ぎて、私たちは段々とそれらが見えなくなってしまいます。すると、物と同じように、私たちはただ存在しているのみとなり、「真の意味で生きるとは何か」という問いから遠ざかってしまうのではないでしょうか。「存在すること」と「生きること」は大きく異なるのですね。

この点で、精神科医のエリザベス・キューブラー・ロスはデーヴィッド・ケスラーとの共著『ライフ・レッスン』（角川文庫）で次のように述べています。

多くの人は、たしかに存在はしてきたが、ほんとうに生きてはこなかった。（『前掲書』）

この「存在すること」と「生きること」の違いが見えなくなった結果、私たちはつい目先の欲望を満たすこと、たとえば、お金や物を手に入れることしか目に入らなくなってしまう。しかし、ひとたび私たちが自身の「死」というものに直面した際、真に問題になるのは、有り余るお金や物よりも、次の哲学の問いではないでしょうか。

・私は、自分の人生を後悔なく、本当に生きただろうか？
・これから死に向かう私にとって、本当に大切なものは何か？

哲学をすることは、善く死んでいくための準備

と言えるでしょう。また、ここへさらに付け加えるなら、

哲学は善く生きるための準備

でもあるでしょう。なぜなら、善く死んでいくためには、後悔なく、善く生きねばならないからです。

ですから、**善く死ぬことと善く生きることは表裏一体**なのですね。

日常生活において、ちょっと立ち止まってみる。それが、「善く生きる」ために必要な

ことなのではないでしょうか。

また、ちょっと立ち止まってみることは、大学で哲学を学ばずとも、私たちの日常生活においても可能なことであると思います。

視点23

・

善く死んでいく

◆メメント・モリ◆

メメント・モリ（memento mori）という言葉があります。ラテン語で「死を想え」や「汝《なんじ》は死を忘れるな」などという意味です。

もし、これまで健康であったはずのあなたが、ある日突然、医師から「余命三ヶ月」と告げられたとしたらと仮定してみましょう。さて、あなたはどう感じ、どう考えるでしょうか。

- この命とは何か、生とは、死とは？
- 死によって、私はこの世から消えてしまうのか？
- 消えてしまうとすれば、この私とは何であったのか？

こんな哲学の問いが浮かんでくるかもしれませんね。

これまで、死とは他人の死でしかなかったところに、今や突如、私たち一人ひとりは、「自分の死」を考えているのですから。

このような哲学の問いの特徴は、なかなか答えの出ない問い、語り尽くせない問いであるということを第一章でお話ししました。

医師から「余命三ヶ月」と告げられてから、私たちはこれら語り尽くせない問いに向かい合うことになります。

私たちは「自分の死」を体験できない：「身近な人の死」から考える

私たちは「自分の死」を体験し、戻ってきてそれを人に語ることはできません。なぜなら、死を体験し、それを人に語ろうとしたときには、私たちはすでに死んでいるからです。私たちが体験できる死は、どこまでも自分以外の人の死なのですね。

けれども、私たちはそこで「自分の死」を考えることを止めてしまってはいけないと私は思います。

「身近な人の死」を通して、考えさせられることもたくさんあります。「身近な人の死」から自分の死を想像し、考えることもできます。

たとえば、自分はどこで、どのように自分の最期を迎えたいのかと考えておくことに私は賛成です。自分の最期を考えておくことは、自分がその最期に向かってどう生き、どう死んでいくかを考えることにもつながります。それは、自分の人生と最期をセルフ・プロデュースすることなのです。

また、これは余談になりますが、身近な人がまだ存命中に、その「身近な人の死」を考えることも大切だと思います。たとえば、存命中の親の死を考えることで、今のうちにできる限りの親孝行をしておきたいと思えるかもしれません。

そして、「身近な人」が亡くなったとき。その人のことをあえて考えないという時間もときには必要でしょう。その時間のなかで、少しずつ心が癒《いや》され、「悲しい」、「寂しい」という気持ちも整理されてくるのだと思います。

そして、時を経て心が元気を取り戻してきたなら、亡くなった「身近な人」のことを思い出してみる。それは、偲《しの》ぶと言われますね。その偲ぶという営みにより、「身近な人」に私たちの心の中で生き続けてもらえるようになると思うのです。「亡くなった人の世界」と「生きている私たちの世界」を結ぶものは、私たちの偲ぶという営みにあるのかもしれません。

◆善く死ぬために、善く生きる◆

まず、「身近な人の死」を通して「自分の死」を想像します。次に、その想像された「自分の死」から逆算して、死に赴《おもむ》くまでの姿勢を整えるために、善く死んでいくとは何かということは考えられそうです。

私がひとつ考えたことは、次のものです。

いつ死んでも後悔しない生き方をすること。

後悔しない生き方とは、まず、自身の内なる善、つまり良心にしたがって**清く正しく**

生きること。次に、周囲の人に**「ありがとう」、「ごめんなさい」を伝えること。**

感謝しているのだけど、照れくさくて、つい感謝の言葉を伝えられていないことってありませんか。常日頃から、「ありがとう」を伝えることって、悔いなく死んでいくために必要だと思うのです。

また、「ごめんなさい」と伝えられず、つい意地を張っていることってありませんか。素直に自分の非を認めることも、気分すっきり死んでいくためには大切だと思います。

ちなみに、私は面と向かって「ありがとう」や「ごめんなさい」を言えないとき、手紙やメールで想いを伝えています。

そして最後に、これは本当に難しいことですが、

ゆるせない人をゆるすこと。

誰しも、一人や二人、どうしてもゆるせない人っていると思うのです。私にも絶対にゆるせない人はいます。言われたこと、されたことを思い返しては、ゆるせず、再び怒りを抱く自分にも疲れます。そんな怒りを、死ぬまで胸の内に置いておくのはつらいこ

とだとも実感しています。

でも、そのような絶対にゆるせないという気持ちを私は経験し、知っているからこそ、誰かに相談されたとき、「そんな人、ゆるしなよ」とは安易には言わず、相談してくれた人の気持ちを汲むことができるのだと思います。

その意味では、絶対にゆるせないと思っている人を通して、私はひとつ学んだのかもしれません。

そんな私がこれはどうかと考えている、お試し中のゆるす方法をひとつ記します。

どうしてもゆるせない人のことを、「かわいそうな人だな」と哀《あわれ》れみの心で見てあげたいと私は考えています。哀れみの心は、その人を「かわいそうだ」と見下す心ではないのですね。それは、仏教の「慈悲」の心にも近いように思います。

もしかしたら、その人は私以外にも、いろんな人から嫌われているかもしれません。人に嫌われ、恨まれて生きるのはつらいものですよね。こんな哀れみの心をもって、その人を見てあげると、ゆるせないと思っていた気持ちがいずれ氷解してくるのではないか、と私は密《ひそ》かに期待しているですが。

きっと、ゆるすことで、ひとつ、自分の気持ちが吹っ切れるのでしょうね。

ゆるせない人をゆるすことは至難《しなん》のわざですが、あらゆる負の感情から自分自身が解放されて、善く生き、善く死んでいくためにも、いつかはゆるせる日が来るといいですよね。

では、あなたも、善く生き、善く死んでいくために何ができるのか、考えてみてください。

おわりに

再び、あなたへ

最後までお読みくださり、ありがとうございました。

哲学に興味をもっていただけたでしょうか。
哲学議論がもたらす思考のうねりを感じていただけましたか。

私が哲学の世界に入門して、二十五年ほどが経とうとしています。その月日の中で、

・哲学とは、私にとって、何であったのか
・哲学は私に何を与えてくれたのか

これらのことを振り返りながらの執筆になりました。

私というひとつの窓を通して、あなたにも哲学の世界をのぞいてもらいました。私が二十五年の哲学人生を通して体験し、考えてきたもの、そして身につけてきた「自分で考える術」をあなたにもお裾分《すそわ》けできれば嬉しいです。

◆哲学の世界に飛び込もう◆

哲学の世界へ入門するためには、年齢は問われません。

誰でも
いつでも
どこからでも

哲学をはじめてよいのです。

私は、八年もかけて博士論文を準備し、三十八歳で博士号を取得しました。それは、亀のような歩みでした。

宗教における真理とは何か、宗教の言葉の意味とは何か。この問題を最初に抱いたのが二十歳のときです。それから十八年ものあいだ、私はひとつの問題を考え、そして、今も考え続けています。

◆ 東京スカイツリーに上った人だけが知る世界 ◆

考えてどうなるの？

最後に、こんな問いにも、私なりにお答えしておきます。

たとえば、東京スカイツリーに上ってどうなるの？　という問いがあります。東京スカイツリーに上っても、これと言って何かの役に立つことはないでしょう。でも、上った人にしか見えない景色と感動というものはあると思うのです。考えてどうなるの？　という問いもこのことと同様かもしれません。

考えた人にしか見えない景色と感動は、やはりあるはずです。

◆未来の扉をノックする◆

そして、考えることで強くなれます。

本書で何度も述べましたが、二〇一〇年、三十三歳のときに、私は躁うつを発症しました。

この病により、ここ十数年の人生において、私は何度も心を倒しそうになりました。

しかし、私自身、悩んで終わりではなく、もがき苦しみながらも、前を向こうと考え、奮闘《ふんとう》してきたのだな、と本書の執筆を通して自分自身で確認することができました。

悩むのではなく、考えることで、私たちの置かれている困難な状況を打開しようとする。

考えること、

それは、未来の扉をノックすることです。

◆ 「素朴な問い」を大切に ◆

私たちの生きるこの世界の、この部分は一体どうなっているのだろう?

考えるために、日常生活の半径数メートルで湧くこんな「素朴な問い」を大切にしてください。

問いを抱くことで、その問いが窓となり、世界の見え方は確実に変わります。ですから、たとえ周囲に同じ問いを考えている人が誰もいなくても、その「素朴な問い」をあなたの中で大事に温め続けてください。

長い人類の歴史（本書では特に哲学史）において、あなたと同じ問いを考えている誰かは必ずいるはずです。その誰かを見つけることができたなら、今度はその誰かとゆっくり対話しながら、考えてみてください。それが、哲学書を読むということです。

哲学書を読み終えたなら、それを閉じ、さらに一歩踏み出して考える。

そこに、あなたの哲学がはじまります。

◆ 私にとっての哲学、さて、あなたにとっては？ ◆

躁うつの発症、この出来事が私の人生を大きく変えました。

フランス留学を終え、フランス語の翻訳を仕事にしていた私は、周囲から見ても、順調なキャリアを築いていたでしょう。しかし、うつの症状がひどくなり、私は自分で天職とまで思っていた翻訳の仕事を辞めざるをえなくなりました。

絶望の中、療養のため一人寝ているとき、心も体も動かないながらも、私はふと浮かぶ哲学の問いを考えてみたり、何となく手を伸ばした哲学書をめくったりしてみました。すると、人間や世界について、知らないことが実に多いということに私は改めて気づきます。

人間や世界についての不思議、

つまり神秘が

きらきらときらめいて私の目に映《うつ》りました。

「きれいだな」と思うと同時に、ひとたび不思議だと思うと、**人間とはその不思議のなぜを知りたくなる**のですね。私は、そうやって考え続けることによって、今まで生きてこられたように思います。

その意味で、

私にとって哲学とは「救い」なのです。

さて、あなたにとっての哲学とは何でしょうか？

これからたくさん読み、学び、一緒に考えていきましょう。

最後に、本書が私と同じように哲学を必要としているあなたの手もとに届くことを願っています。

引用・参考文献一覧

はじめに

参考文献

・坂本尚志『バカロレアの哲学 「思考の型」で自ら考え、書く』（日本実業出版社）

第一章　哲学することで強くなる

引用文献

・アール・ナイチンゲール『チャンスは無限にある』（きこ書房）田中孝顕訳
・池田晶子『死とは何か　さて死んだのは誰なのか』（毎日新聞社）
・池田晶子『あたりまえなことばかり』（トランスビュー）
・ウィトゲンシュタイン『論理哲学論考』（岩波文庫）野矢茂樹訳

参考文献

・セネカ『生の短さについて』（岩波文庫）大西英文訳
・マルクス・アウレーリウス『自省録』（岩波文庫）神谷美恵子訳
・モンテーニュ『エセーI―人間とはなにか』（中公クラシックス）荒木昭太郎訳

・パスカル『パンセ』（中公文庫）前田陽一、由木康訳
・カント『純粋理性批判』（岩波文庫）篠田英雄訳

第二章　哲学をはじめる：私の哲学遍歴

参考文献

・三浦綾子『氷点』（角川文庫）
・三浦綾子『塩狩峠』（新潮文庫）
・三浦綾子『ちいろば先生物語』（集英社文庫）
・三浦綾子『愛の鬼才　西村久蔵の歩んだ道』（小学館文庫）
・遠藤周作『沈黙』（新潮文庫）
・遠藤周作『侍』（新潮文庫）
・遠藤周作『深い河』（講談社文庫）
・遠藤周作『『深い河』創作日記』（講談社文芸文庫）
・ジョン・ヒック『神は多くの名前をもつ　新しい宗教的多元論』（岩波書店）間瀬啓允訳
・ジョン・ヒック『宗教多元主義　宗教理解のパラダイム変換』（法藏館）間瀬啓允訳
・ウィトゲンシュタイン『論理哲学論考』（岩波文庫）野矢茂樹訳
・ウィトゲンシュタイン「宗教的信念についての講義」（『ウィトゲンシュタイン全集10』（大修館書店）藤本隆志訳　所収）
・Ludwig Wittgenstein, *Leçons et conversations suivi de Conférence sur l'éthique*, Gallimard, 2022.（ウィトゲンシュタイン『講義と対話　倫理学、心理学、宗教的信念について』［ガリマール書店］）

・Simone Weil, *Attente de Dieu*, Fayard, 2004.（シモーヌ・ヴェイユ『神を待ちのぞむ』）
・シモーヌ・ヴェイユ『神を待ちのぞむ』（河出書房新社）今村純子訳
・シモーヌ・ヴェイユ『重力と恩寵』（岩波文庫）冨原眞弓訳
・井筒俊彦『意識と本質　精神的東洋を索めて』（岩波文庫）

第三章　哲学を体験してみよう：「私」とは何か？

引用文献

・デカルト『方法序説』（岩波文庫）谷川多佳子訳
・デカルト『省察』（ちくま学芸文庫）山田弘明訳
・フッサール『ヨーロッパ諸学の危機と超越論的現象学』（中公文庫）細谷恒夫、木田元訳
・ウィトゲンシュタイン『論理哲学論考』（岩波文庫）野矢茂樹訳
・ユークリッド『ユークリッド原論　追補版』（共立出版）中村幸四郎、寺阪英孝、伊東俊太郎、池田美恵訳
　・解説

参考文献

・フッサール『デカルト的省察』（岩波文庫）浜渦辰二訳
・野家啓一「フッサール」（今村仁司、三島憲一、鷲田清一、野家啓一、矢代梓『現代思想の源流　マルクス ニーチェ フロイト フッサール』［講談社］所収）
・鬼界彰夫『ウィトゲンシュタインはこう考えた　哲学的思考の全軌跡　1912—1951』（講談社現代新書）

・野矢茂樹『ウィトゲンシュタイン『論理哲学論考』を読む』（ちくま学芸文庫）
・古田徹也『はじめてのウィトゲンシュタイン』（NHK出版）
・古田徹也『ウィトゲンシュタイン　論理哲学論考』（角川選書）
・大谷弘『入門講義　ウィトゲンシュタイン『論理哲学論考』』（筑摩選書）

第四章　働くということ

引用文献

・ヴィクトール・E・フランクル『夜と霧　新版』（みすず書房）池田香代子訳

参考文献

・ノーマン・マルコム『ウィトゲンシュタイン　天才哲学者の思い出』（平凡社ライブラリー）板坂元訳
・シモーヌ・ペトルマン『詳伝　シモーヌ・ヴェイユⅠ』（勁草書房）杉山毅訳
・シモーヌ・ペトルマン『詳伝　シモーヌ・ヴェイユⅡ』（勁草書房）田辺保訳
・諸富祥彦『フランクル心理学入門』（角川ソフィア文庫）

第五章　病むということ

引用文献

・エリザベス・キューブラー・ロス、デーヴィッド・ケスラー『ライフ・レッスン』（角川文庫）上野圭一訳

・清水真木『ニーチェ入門』（ちくま学芸文庫）

第六章　宗教を信じるということ

引用文献
・遠藤周作『深い河』（講談社文庫）
・ジョン・ヒック『神は多くの名前をもつ　新しい宗教的多元論』（岩波書店）間瀬啓允訳
・ウィトゲンシュタイン『哲学探究』（講談社）鬼界彰夫訳
・Simone Weil, *Attente de Dieu*, Fayard, 2004.（シモーヌ・ヴェイユ『神を待ちのぞむ』）
・シモーヌ・ヴェイユ『重力と恩寵』（岩波文庫）冨原眞弓訳
・シモーヌ・ド・ボーヴォワール『娘時代　ある女の回想』（紀伊國屋書店）朝吹登水子訳
・宮沢賢治『農民芸術概論綱要』（『宮沢賢治全集10』［ちくま文庫］所収）

参考文献
・ジョン・ヒック『宗教多元主義　宗教理解のパラダイム変換』（法藏館）間瀬啓允訳
・中村光『聖☆おにいさん』（講談社）
・岸根敏幸『宗教多元主義とは何か　宗教理解への探求』（晃洋書房）
・ウィトゲンシュタイン「宗教的信念についての講義」（『ウィトゲンシュタイン全集10』［大修館書店］藤本隆志訳　所収）
・Ludwig Wittgenstein, *Leçons et conversations suivi de Conférence sur l'éthique*, Gallimard, 2022.（ウィトゲンシュタイン『講義と対話　倫理学、心理学、宗教的信念について』［ガリマール書店］）

・シモーヌ・ヴェイユ『神を待ちのぞむ』（河出書房新社）今村純子訳
・シモーヌ・ペトルマン『詳伝　シモーヌ・ヴェイユⅠ』（勁草書房）杉山毅訳

第七章　善く生き、善く死んでいくということ

引用文献

・池田晶子『知ることより考えること』（新潮社）
・池田晶子『私とは何か　さて死んだのは誰なのか』（講談社）
・池田晶子『新・考えるヒント』（講談社）
・池田晶子、陸田真志『死と生きる　獄中哲学対話』（新潮社）
・プラトン『国家』（岩波文庫）藤沢令夫訳
・プラトン『パイドロス』（岩波文庫）藤沢令夫訳
・エリザベス・キューブラー・ロス、デーヴィッド・ケスラー『ライフ・レッスン』（角川文庫）上野圭一訳

参考文献

・プラトン『パイドン　魂の不死について』（岩波文庫）岩田靖夫訳

謝辞

末筆ながら、謝辞を述べさせていただきます。

第三章で引用させていただいたデカルト『方法序説』(岩波文庫)とフッサール『ヨーロッパ諸学の危機と超越論的現象学』(中公文庫)につきまして、初学者でも読みやすいように訳文を若干平易に改め、ひらがなを漢字に変換させていただきました。邦訳者の方々にはおわびとお礼を申し上げます。

二宮倫子さんには、「第三章『私』とは何か?」の議論で、数学の観点から、私のこれからの研究に資する貴重なご示唆をいただきました。また、海邑少華さんには、お忙しい中にもかかわらず、本書の原稿の一部にお目通しのうえ、有益なご感想をいただきました。心より感謝申し上げます。

Xでともに活動しているphiloさんには、本書の執筆中、終始励ましていただきました。原稿が書けず呻吟《しんぎん》していた私に、「関野さんにとっての(アウグスティヌス)『告白』

を書いてはどうですか」と、philoさんがお声をかけてくださり、それが本書執筆の糸口となりました。ありがとうございました。

本書に装幀という素敵な服を着せてくださったのは、デザイナーの杉山健太郎さんです。「わからないこと」がきらめいている、本書の世界観を見事に表現してくださいました。

また、お一人ずつのお名前を記すことは割愛いたしますが、本書にたずさわってくださったすべての方々にお礼申し上げます。

本書は、担当編集者の、りり子さんこと、田中里枝さんの発案からはじまりました。りり子さんなくして、本書は形になることはありませんでした。編集者としてのプロ意識と確かな読解力で引っ張っていただきました。心強かったです。ありがとうございました。

最後に、ずっと仕事をがんばってくれ、育ててくれた父へ。どんなときも私を信じ、支えてくれた母へ。ありがとう。

本書を、父と母に捧げます。

二〇二三年八月三十一日

関野哲也

関野哲也（せきの・てつや）

哲学博士（Docteur en Philosophie）／文筆家／翻訳家

1977年、静岡県生まれ。
フランス・メッス大学哲学科学士・修士過程修了後、
リヨン第三大学哲学科博士課程修了。博士（哲学）。
専門は宗教哲学、言語哲学。
特にウィトゲンシュタイン、シモーヌ・ヴェイユ研究。

留学後、フランス語の翻訳者・通訳者として働くが、双極性障害を発症。

その後、ドライバー、障がい者グループホーム職員、工場勤務などを経験。

現在は「生きることがそのまま哲学すること」という考えを追求しながら、
興味が趣くままに読み、訳し、研究し、書いている。

著書に、『池田晶子　語りえぬものを語る、その先へ』（Amazon Kindle）がある。

X（旧Twitter）: @sekino0008
note：https://note.com/sekino0008/

よくよく考《かんが》え抜《ぬ》いたら、世界《せかい》はきらめいていた

哲学《てつがく》、挫折博士《ざせつはかせ》を救う

2023年11月10日　初版発行

著　者　　関野哲也
発行者　　菅沼博道
発行所　　株式会社CCCメディアハウス
〒141-8205　東京都品川区上大崎3丁目1番1号
電話 販売 049-293-9553　編集 03-5436-5735
http://books.cccmh.co.jp

デザイン　　杉山健太郎
DTP　　有限会社マーリンクレイン
校正　　株式会社文字工房燦光
印刷・製本　　図書印刷株式会社

　ISBN978-4-484-22245-5